第三冊

哈哈星球 譯注
陳偉 繪

商務印書館

責任編輯　馮孟琦
裝幀設計　涂　慧　趙穎珊
排　　版　高向明
責任校對　趙會明
印　　務　龍寶祺

輕鬆學文言（第三冊）

譯　　注　哈哈星球
繪　　圖　陳　偉
出　　版　商務印書館（香港）有限公司
　　　　　香港筲箕灣耀興道 3 號東滙廣場 8 樓
　　　　　http://www.commercialpress.com.hk
發　　行　香港聯合書刊物流有限公司
　　　　　香港新界荃灣德士古道 220-248 號荃灣工業中心 16 樓
印　　刷　中華商務彩色印刷有限公司
　　　　　香港新界大埔汀麗路 36 號中華商務印刷大廈
版　　次　2023 年 7 月第 1 版第 1 次印刷

　　　　　ISBN 978 962 07 4664 2
　　　　　Printed in Hong Kong

原著為《有意思的古文課》
哈哈星球 / 譯注，陳偉 / 繪
本書由二十一世紀出版社集團有限公司授權出版

目 錄

注：帶📖的文章為香港教育局中國語文課程的文言文建議篇章。

《老子》四章

老子

姓名　李耳

別稱　字聃，世稱「老子」，與莊子並稱「老莊」

出生地　楚國苦縣（今河南省鹿邑縣，據《史記》載）

生卒年　不詳

道家鼻祖

開創道家學派，提倡「道法自然」「無為而治」

通識學霸

曾任周朝守藏室之史（國家圖書館管理員），以博學而聞名，孔子曾向他問禮

暢銷書作者

傳世作品《道德經》（又稱《老子》），是目前全球文字出版發行量最大的著作之一

萬物生長

他是一個謎，沒人知道他生於何時，死於何時。

孔子向老子問禮，得出這樣一個結論：「鳥，我知道牠能飛。魚，我知道牠能游。獸，我知道牠能跑。至於龍，我不知道，但是我今天看見老子，他就像一條龍一樣。」

魯迅說，不讀《老子》一書，不知中國文化。

據說在老子的時代，他一直覺得自己很孤獨，眾人皆醉我獨醒，要一個人走很長的路。好在他的哲學思想、美學思想穿越了兩千多年的時光，「空」「無用」已經成為當代藝術的一種選擇，無處不在。

《道德經》說，道生一，一生二，二生三，三生萬物。

萬物生長。

❶ 三十輻共一**轂**（gǔ）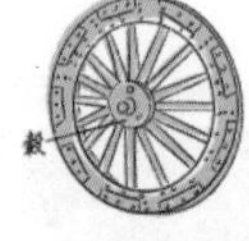，**當其無，有車之用**。**埏埴**（shān zhí）以為器，當其無，有器之用。鑿**户牖**（yǒu）以為室，當其無，有室之用。故**有之以為利，無之以為用**。（第十一章）

轂：車輪的中心部位，周圍與輻條的一端相接，中間的圓孔用來插車軸。

當其無，有車之用：車的功用正是產生於車轂的「無」。無，指車轂的中空處。

埏埴：和泥（製作陶器）。埏，揉和。埴，黏土。　**户牖：**門窗。

有之以為利，無之以為用：「有」（車子、器皿、屋室）供人方便利用，正是「無」起了作用。

❶

三十根輻條，聚集到車轂上，在車轂中間是空的時，才有車的作用。揉和陶土做成器皿，只有器具中間是空的，才有器皿的作用。開鑿門窗建造屋室，只有門窗四壁中間是空的，才有屋室的作用。所以，「有」（車子、器皿、屋室）供人方便利用，正是「無」起了作用。（第十一章）

日益精進

古車中的「輿」、「轂」、「輞（wǎng）」、「輻輳（còu）」

輿：古車的車廂，叫「輿」。

轂：輪的中心是一個有孔的圓木，叫「轂」。

輞：車輪的邊框，叫「輞」。

輻輳：車輪的輻條一般為三十根。四周的輻條都向車轂集中，這叫「輻輳」。

❷ 企者不立，跨者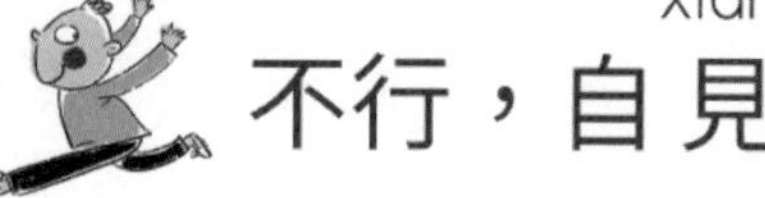不行，自見(xiàn)者不明，自是者不彰，自伐者無功，自矜(jīn)者不長。其在道也，曰餘食

贅(zhuì)行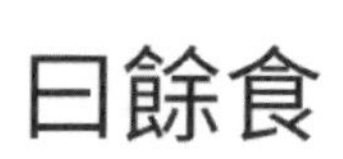，物(wù)或惡之，故有道者不處。（第二十四章）

企者不立：踮起腳的人不能久立。　**跨者不行：**跨大步的人行走不穩。

自見者不明：自我顯露的不能顯明。　**自是者不彰：**自以為是的不能彰顯。

自伐：和下文的「自矜」都是自我誇耀的意思。　**長：**長久。一說讀 zhǎng，意思是得到敬重。　**其在道也，曰餘食贅行，物或惡之：**（「自見」「自是」「自伐」「自矜」等行為）用道的觀點來看，就叫做剩飯、贅瘤，人們常常厭惡它們。行，同「形」。　**處：**為，做。

❷

踮起腳的人不能久立，邁大步走的人走不穩，自我顯露的人不能顯明，自以為是的人不能彰顯，自我誇耀的人不能成就大功，自高自大的人不會長久。（「自見」「自是」「自伐」「自矜」等行為）用道的觀點來看，就叫做剩飯、贅瘤，人們厭惡這些東西，所以有道的人絕不這樣做。（第二十四章）

日益精進

古代宮室的文化常識

古代的宮是總名，指整所房子，外面有圍牆包着，室只是其中的一個居住單位。上古時代，宮指一般的房屋住宅，無貴賤之分，秦漢以後，只有王者的居所才稱為「宮」。古代宮室一般向南，主要分為堂、室、房。前部分是堂，通常只行吉凶大禮，不住人。堂後是室，住人。室的東西兩側是東房和西房。

3

知人者智，自知者明。勝人者有力，自勝者強。知足者富，**強(qiǎng)行者有志**

。**不失其所者久**

，**死而不亡者壽**。（第三十三章）

強行者有志：勤勉而行的人有意志。

不失其所者久：不喪失立身之基的人能夠長久。

死而不亡者壽：死而不朽的人就是長壽。意思是，有道之人身死而道長存，這就是壽。

3

能了解別人的人聰慧，能了解自己的人聖明。能戰勝別人的人有力，能戰勝自己的人剛強。知道滿足的人就是富有的人，勤勉而行的人有意志。不喪失立身之基的人能夠長久，有道之人身死而道長存，這就是壽。（第三十三章）

日益精進

户牖

户，門；牖，窗户。上古的「窗」專指開在屋頂上的天窗，開在牆壁上的窗叫「牖」。户牖也指屋舍門庭，引申為門户，指學術派別。

4

其安易持，其未兆易謀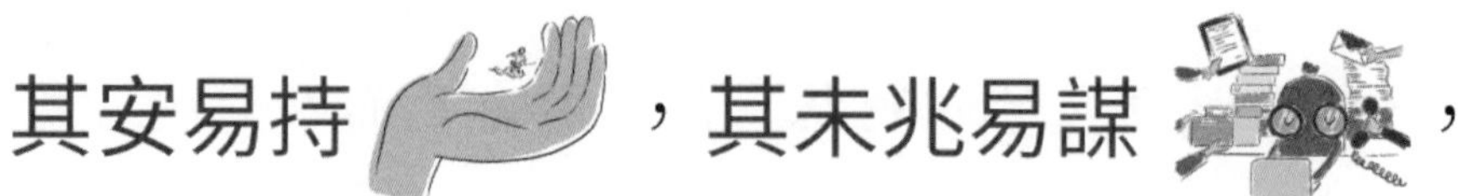，其脆易泮(pàn)，其微易散。為(wéi)之於未有，治之於未亂。合抱之木，生於毫末；九層之台，起於累(léi)土；千里之行，始於足下。

其安易持：事物安然未生變的時候容易持守。　**其未兆易謀：**問題還沒有顯露跡象的時候容易解決。　**其脆易泮：**事物脆弱的時候容易分離。泮，同「判」，分離。
其微易散：事物細微的時候容易散失。　**為之於未有：**在事情未發生時就做。
毫末：毫毛的末端。比喻極其細微的事物。　**累土：**一筐土。累，同「蔂」，土筐。

④

事物安然未生變的時候容易持守，問題還沒有顯露跡象的時候容易解決，事物脆弱的時候容易分離，事物細微的時候容易散失。要在還沒有出現問題的時候解決問題，要在還沒有陷入混亂的時候治理混亂。張開兩臂才抱得過來的大樹，是從細小的萌芽生長起來的；很高很高的台子，是從一筐土開始積累起來的；千里的行程，是從腳下第一步開始走出來的。

日益精進

九

古代的「九」，除指數字「9」，還泛指「多數」或「多次」。文中的「九層之台」，不是確數為「九層」的台子，而是「很高很高的台子」。

為者敗之，**執者失之**。是以聖人**無為**，故無敗；無執，故無失。民之從事，常於**幾**(jī)成而敗之。慎終如始，則無敗事。是以聖人**欲不欲**，不貴難得之貨，**學不學**，**復眾人之所過**，以輔萬物之自然而不敢為。（第六十四章）

為者敗之：動手去做的就會壞事。　**執者失之：**有所把持的就會失去。

無為：指順應自然，不求有所作為。　**幾：**接近。　**欲不欲：**想要常人所不想要的。

學不學：學習常人所不學習的。　**復眾人之所過：**補救眾人所犯的過錯。復，彌補、補救。

動手去做的就會壞事，有所把持的就會失去。因此聖人無所作為，所以也不會招致失敗；無所執着，所以也不會遭受損害。人們做事情，總是在接近成功時失敗。（人們如果在）快要完成的時候也像開始時那樣謹慎，就不會讓事情失敗。因此聖人想要常人所不想要的，不稀罕難以得到的東西，以學習常人所不學習的，補救眾人所犯的過錯，來輔助萬物的自然本性而不會妄加干預。（第六十四章）

日益精進

無為

老子所宣揚的「無為」，不是普遍性的道德準則，而是對君主的告誡，是讓君主不與民爭，順應民眾，不妄為；告誡君主不做違反「天時、地性、人心」的事，不能僅憑主觀願望和想像治國。道家的「無為」，並非要君主消極避世，而是提醒君主應該努力學習，積極進取，通曉自然和社會規則，善於處理人際關係。

普通話朗讀

《論語》十二章

選自《論語》

姓名　孔丘

別稱　字仲尼，世稱「孔子」「孔夫子」

出生地　魯國陬邑（今山東省曲阜市）

生卒年　公元前 551 年—公元前 479 年

旅行達人

周遊列國十四年

音樂發燒友

愛唱歌，善彈琴
向師襄學習演奏《文王操》，創作琴曲《陬（zōu）操》

射箭高手

精通射箭，並將射箭提升到哲學高度

生命指數

73 歲

向老師學習

不要打擾我學習

古人說，「半部《論語》治天下」，雖有誇大，但讀它，必將受益終身。《論語》二十篇，古往今來，99% 的讀書人都讀過、背過。大聖人孔子的生平言論及其弟子的一些言行，大都記錄在這本書裏。除此之外，《論語》對孔子的生活方面也有生動記錄，就連他吃飯、睡覺、走路、說話的姿態這些生活細節，都有記述。

《論語》不是孔子親自編寫的，而是孔子門人（即孔子弟子）及再傳弟子（孔子弟子的弟子，即徒孫）結集而成的。它載着孔子的智慧與德行，超越時空、種族、膚色，嵌入每一個向善的心靈。

《論語》本無篇名，後人摘取每篇第一句的兩個字或三個字作為篇名，比如《學而》篇的第一句是「學而時習之，不亦說乎」，於是篇名取「學而」兩字。

1 子曰：「君子食無求飽，居無求安，**敏**  於事而慎於言，**就有道**  **而正**  **焉**，可謂好學也已。」（《學而》）

2 子曰：「人**而** if~~~ 不仁，**如禮何**？人而不仁，如樂何？」（《八佾（yì）》）

敏：勤勉。 **就有道而正焉**：到有道的人那裏去匡正自己。有道，指有才藝或有道德的人。
而：如果。 **如禮何**：怎樣對待禮呢？

❶

孔子說：「君子飲食不追求飽足，居住不追求安逸，工作勤勉，說話謹慎，到有道的人那裏去匡正自己，就可以說是好學了。」(《學而》)

❷

孔子說：「人如果不仁德，怎麼對待禮呢？人如果不仁德，怎麼對待樂呢？」(《八佾》)

日益精進

《學而》

《論語》第一篇，重點講為人處世的道理，專注對個人德行的要求。

《八佾》

《論語》第三篇，重點討論如何維護「禮」。佾是古代樂舞的行列。古時一佾八人，八佾就是六十四人。八佾只有天子才能用。諸侯用六佾，大夫用四佾。

3

zhāo

子曰：「朝 

聞道，夕 

死可矣。」(《里仁》)

4

子曰：「君子**喻** 

於義 

，小人喻於利。」(《里仁》)

5

子曰：「見賢思齊焉，見不賢而內自省也。」(《里仁》)

喻：知曉，明白。

3

孔子說：「早晨得知真理，(即使) 當晚死去，也沒有遺憾。」(《里仁》)

4

孔子說：「君子懂得大義，小人 (只) 懂得小利。」(《里仁》)

5

孔子說：「見到賢人，就應該希望向他看齊；看見不賢的人，就要反省 (是否有和他一樣的毛病)。」(《里仁》)

日益精進

《里仁》

《論語》第四篇，重點闡述了《論語》的核心思想「仁」。內容涉及義與利的關係、個人的道德修養、孝敬父母及君子與小人的區別等。

6 子曰：「**質勝文則野**，文勝質則**史**。**文質彬彬**，然後君子。」（《雍（yōng）也》）

7 曾子曰：「士不可以不**弘毅**，任重而道遠。仁以為己任，不亦重乎？死而後已，不亦遠乎？」（《泰伯》）

質勝文則野：質樸超過文采就會粗野鄙俗。　**史：**虛飾，浮誇。
文質彬彬：文質兼備、配合適當的樣子。　**弘毅：**志向遠大，意志堅強。

6

孔子說：「質樸多於文采就難免顯得粗野，文采超過了質樸又難免流於虛浮。文質兼備，配合適當，這才是個君子。」(《雍也》)

7

曾子說：「讀書人不可不志向遠大且意志堅強，(因為他)任務艱巨而路途遙遠。以實行仁德為己任，不是很艱巨嗎？直到死才停止追求，不是很遙遠嗎？」(《泰伯》)

日益精進

《雍也》

《論語》第六篇，有數章談到顏回，孔子對他的評價甚高。此外，本篇還涉及「中庸之道」、「恕」學說和「文質」思想，以及如何培養「仁德」。

《泰伯》

《論語》第八篇，涉及孔子及其弟子對堯、舜、禹等古代先王的評價，孔子在教學方法和教育思想方面的進一步發揮，孔子道德思想的具體內容，以及曾子在若干問題上的態度。

8 子曰：「譬(pì)如為山，**未成一簣(kuì)**，**止，吾止也**。譬如**平地**，雖覆一簣，進，吾往也。」(《子罕》)

9 子曰：「**知(zhì)**者不惑，仁者不憂，勇者不懼。」(《子罕》)

未成一簣：只差一筐土沒有成功。簣，盛土的竹筐。

止，吾止也：停下來，是我自己停下來的。　**平地**：填平窪地。　**知**：同「智」。

8

孔子説:「(做事) 好比用土堆山,只差一筐土就堆成了,如果停下來,那是我自己停下來的。(做事) 好比用土平地,即使才倒下一筐,如果繼續做下去,那是我自己堅持做的。」(《子罕》)

9

孔子説:「聰明的人不會被迷惑,仁德的人不憂愁,勇敢的人無所畏懼。」(《子罕》)

日益精進

《子罕》

《論語》第九篇,涉及孔子的道德教育思想、孔子弟子對孔子的議論,還記述了孔子的某些活動。篇名中的「子罕」與人物子罕並不是同一回事。在這裏,「子」指孔子,「罕」是表示頻率的副詞,即「少也」。

⑩ 顏淵(yuān)問仁。子曰：「**克己復禮**為仁。**一日**克己復禮，天下**歸**仁焉。為仁由己，而由人乎哉？」顏淵曰：「請問其**目**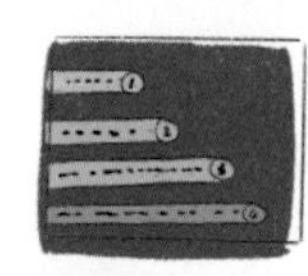。」子曰：「非禮勿視，非禮勿聽，非禮勿言，非禮勿動。」顏淵曰：「回雖不敏，請**事**斯語矣。」

（《顏淵》）

克己復禮：約束自我，使言行歸復於先王之禮。　**一日：**一旦。　**歸：**讚許，稱許。
目：條目，細則。　**事：**實踐，從事。

⑩

顏淵請教(孔子)甚麼是仁。孔子說:「約束自己,使言行歸復於先王之禮,就是仁。一旦這樣做到了,天下的人都會稱許你是仁德的人。對仁的追求完全取決於自己,難道還靠別人嗎?」顏淵說:「請問修行仁德的具體細節。」孔子說:「不合於禮的不要看,不合於禮的不要聽,不合於禮的不要說,不合於禮的不要做。」顏淵說:「我雖然愚笨,也要照您的話去做。」(《顏淵》)

日益精進

《顏淵》

《論語》第十二篇。顏淵,曹姓,顏氏,名回,字子淵,魯國人。他十三歲拜孔子為師,是孔子最得意的門生,孔門七十二賢之首。

⑪ 子貢問曰：「有**一言**而可以終身行之者乎？」子曰：「其『**恕**』乎！己所不欲，勿施於人。」（《衛靈公》）

一言：一個字。　**恕**：用自己的心推想別人的心。

⑪

子貢問道:「有沒有一個可以終身奉行的字呢?」孔子說:「那就是『恕』吧!自己不想要的,不要強加給別人。」(《衛靈公》)

日益精進

恕

儒家的「恕」,體現一種推己及人、將心比心、設身處地為他人着想的道德境界。例如,我自己不願意貧窮,因此我也不想讓別人貧窮;我自己不願意被別人輕視,因此我也不會輕視別人;等等。

⑫ 子曰：「**小子**何莫學**夫**《詩》？《詩》可以**興**，可以**觀**，可以**羣**

，可以**怨**。**邇**(ěr)之事父，遠之事君。多識於鳥獸草木之名。」(《陽貨》)

小子：老師對學生的稱呼。 **夫：**那。 **興：**指激發人的感情。 **觀：**指觀察政治的得失、風俗的盛衰。 **羣：**指提高人際交往能力。 **怨：**指諷刺時政。 **邇：**近。

⑫

孔子說：「各位小同學，怎麼不學《詩》呢？《詩》可以激發情感，可以（幫我們）提高觀察能力，可以（幫我們）提高人際交往能力，可以（讓我們）學得諷刺（方法）。近呢，（我們可以用其中的道理來）侍奉父母；遠呢，（我們可以用來）侍奉君王。（我們還可以）知道很多鳥獸草木的名稱。」（《陽貨》）

日益精進

《陽貨》

《論語》第十七篇，提到了為父母守喪三年、君子與小人的區別等內容。

陽貨，春秋時魯國人，名虎，字貨。他原是魯國大夫季平子的家臣。季平子死後，他僭越專權，管理魯國政事，和孔子倡導的「禮」和等級制度相違。

還在玩，我的書你們看完了嗎？

普通話朗讀

子路、曾皙、冉有、公西華侍坐

選自《論語》

姓名　孔丘

別稱　字仲尼，世稱「孔子」「孔夫子」

出生地　魯國陬邑（今山東省曲阜市）

生卒年　公元前 551 年—公元前 479 年

思想巨擘

儒家學派創始人

最牛老師

開辦私學，弟子三千，其中賢人七十二
被歷代儒生尊為「至聖先師」

文學大咖

修訂六經：《詩》《書》《禮》《易》《樂》《春秋》

生命指數

73 歲

告訴我，你的夢想是甚麼

「告訴我，你的夢想是甚麼？」兩千五百年前，孔子拋給四位高徒這個問題。小 A 搶答，想建功立業；小 B 緊隨其後，想幫人賺錢；小 C 謙遜三思，我沒甚麼大志，只想做個小司儀。直到小 D 的琴聲停止，孔子才得到了滿意的答案：

逍遙三月天，沂（yí）水春風裏，彈彈琴，游游泳，吹吹風，唱唱歌，乘興而來，盡興而歸。

曾皙的回答，說到了斯時孔子的心坎上。

他愛水，逝者如斯，不舍晝夜；他愛音樂，沉迷《韶》音，三月不知肉味；他愛聽風，簡單快樂，喧鬧中藏着淡泊，是讀書人的嚮往之境。

而今，若你被問及此，答案又會是甚麼呢？

1. 子路、曾皙(xī)、冉(rǎn)有、公西華**侍坐**。

2. 子曰：「**以吾一日長(zhǎng)乎爾****，毋吾以**（ ）**也**。**居**則曰：『**不吾知**也！』如或知爾，**則何以哉**？」

侍坐：在尊長近旁陪坐。　**以吾一日長乎爾，毋吾以也：**因為我年紀比你們大一點，（你們）不要因我（年長）就不敢說話了。以，因為。後一個「以」同「已」，是「止」的意思。毋，不要。亦有一說認為本句的意思是：因為我年紀比你們大一點（老了），沒有人用我了。這裏，後一個「以」是「用」的意思。　**居：**平日、平時。　**不吾知：**即「不知吾」，不了解我。　**則何以哉：**那麼（你們）打算怎麼做呢？

❶

子路、曾皙、冉有、公西華陪（孔子）坐着。

❷

孔子說：「不要因為我年紀比你們大一點，（你們）就不敢講話了。（你們）平日說：『沒有人了解我呀！』假如有人了解你們，那麼（你們）打算怎麼做呢？」

日益精進

子路、曾皙、冉有、公西華

子路：仲由，即文中的「由」，性情剛直，好勇尚武。

曾皙：曾點，即文中的「點」，因自言其志頗得孔子歎賞。

冉有：冉求，即文中的「求」，以政事見稱，多才多藝，尤擅長理財。

公西華：公西赤，即文中的「赤」，有非常優秀的外交才能，曾經出使齊國。

3 子路**率爾**而對曰：「**千乘**(shèng)**之國**，**攝**乎大國之間，**加之以師旅**，**因之以饑饉**(jī jǐn)；由也**為**之，**比及**三年，可使有勇，且知**方**也。」

4 夫子**哂**(shěn)之。

率爾：急遽 (jù) 而不加考慮的樣子。 **千乘之國：**有一千輛兵車的諸侯國。
攝：夾處 (chǔ)。 **加之以師旅：**有軍隊來攻打它。 **因之以饑饉：**接下來又有饑荒。因，接續。饑饉，泛指饑荒。 **為：**治理。 **比及：**等到。 **方：**合乎禮義的行事準則。
哂：微笑。

3

子路不假思索地回答説：「一個擁有一千輛兵車的國家，被夾在幾個大國之間，有軍隊來攻打它，接着又遇上饑荒；我去治理這個國家，等到三年光景，就可以使人人勇敢善戰，而且行事做人能合乎禮義。」

4

孔子微微一笑。

日益精進

乘

春秋時代，戰爭頻繁，兵車的數量能體現一個國家的強弱。古時，一車四馬為一乘。春秋時，一輛兵車，配甲士三人，步卒七十二人。在春秋後期，千乘之國是中等國家。

5 「求！爾何如？」

6 對曰：「**方六七十，如五六十**，求也為

yuè

之，比及三年，**可使足民**。**如其禮樂，**

sì

以俟君子。」

7 「赤！爾何如？」

方六七十，如五六十：縱橫六七十里或五六十里（的小國）。方，計量面積用語。如，或者。
可使足民：可以使人民富足。 **如其禮樂，以俟君子：**至於禮樂教化，（自己的能力是不夠的，）那就得等待君子（來推行了）。這是冉有的謙辭。如，至於。俟，等待。

5

「冉有！你怎麼樣？」

6

（冉有）回答說：「一個縱横六七十里或者五六十里的國家，我去治理，等到三年光景，就可以使老百姓富足起來。至於修明禮樂，那就得等待君子（來推行了）。」

7

「公西華！你怎麼樣？」

日益精進

禮樂

禮，指古代貴族等級制的社會規範和道德規範；樂，則是音樂等藝術的合稱。我國的禮樂制度在西周時期得到了非常完善的發展，這奠定了中華傳統文化的基調。東周時期，周王室衰弱，諸侯爭霸，禮崩樂壞，禮樂制度受到嚴重衝擊，因此儒家創始人孔子將恢復西周時期的禮樂制度作為畢生追求。

8 對曰：「非曰**能**  之，願學焉。宗廟之事，如會同，**端章甫**(fǔ) ，願為小**相**(xiàng)  焉。」

9 「點！爾何如？」

10 **鼓瑟**(sè)**希**♫♫ ♫♫♫~·~~·，**鏗**(kēng)**爾**，舍瑟而作，對曰：「異乎三子者之**撰**(zhuàn) 。」

能：勝任、能做到。　**端章甫：**穿着禮服，戴着禮帽。端，古代的一種禮服。章甫，古代的一種禮帽。端和章甫在這裏都用作動詞。　**相：**諸侯祭祀、會盟或朝見天子時，主持贊禮的司儀官。所謂「小相」，是公西華的謙辭。　**鼓瑟希：**彈奏瑟的聲音（漸漸）稀疏，指接近尾聲。希，同「稀」，稀疏。　**鏗爾：**鏗的一聲，指止瑟聲。　**作：**起身、站起來。**撰：**才能。這裏指為政的才能。一說，講述、解說。

8

（公西華）回答說：「（我）不敢說能做甚麼，（但是）願意在這方面學習。宗廟裏祭祀祖先的工作，或是諸侯朝見天子，（我）願意穿戴好禮服禮帽，做一個小小的司儀。」

9

「曾皙！你怎麼樣？」

10

（曾皙）彈瑟的聲音逐漸稀疏，（接着，他）鏗的一聲，放下瑟站起來，回答說：「（我的才能）不同於他們三人的才能。」

日益精進

上古「八音」

上古時期的「八音」也就是八類樂器，分別為金、石、土、革、絲、木、匏（páo）、竹，如鐘、鈴屬金類，磬屬石類，塤（xūn）屬土類，鼓屬革類，琴、瑟屬絲類，柷（zhù）屬木類，笙、竽屬匏類，管、簫屬竹類。

⑪ 子曰：「**何傷**乎？亦各言其志也。」

⑫ 曰：「**莫**(mù)**春**者，春服既成，**冠**(guàn) **者** 

五六人，童子  六七人，浴乎沂(yí)，**風乎**

舞雩(yú) ，**詠** 而歸。」

⑬ 夫子**喟**(kuì)**然**  歎曰：「吾與  點

也！」

何傷：何妨。意思是有甚麼關係呢。　**莫春：**即暮春，農曆三月。莫，同「暮」。
冠者：成年人。古代男子在二十歲時行加冠禮，表示成年。　**風乎舞雩：**在舞雩台上吹吹風。風，吹風。　**詠：**唱歌。　**喟然：**歎息的樣子。　**與：**贊成。

⑪

孔子說：「那有甚麼關係呢？正是要各人說出自己的志向啊。」

⑫

（曾皙）說：「暮春時節，春天的衣服已經穿上了。（我和）五六個成年人、六七個孩童到沂水裏洗洗澡，在舞雩台上吹吹風，一路唱着歌兒回來。」

⑬

孔子長歎一聲說：「我贊同曾皙的想法呀！」

日益精進

舞雩

古代求雨時舉行的伴有樂舞的祭祀儀式。舞雩台是魯國求雨的壇，在今山東省曲阜市南。

⑭ 三子者出，曾皙後。曾皙曰：「夫三子者之言何如？」

⑮ 子曰：「亦各言其志**也已矣**。」

⑯ 曰：「夫子何哂由也？」

⑰ 曰：「為國以禮，其言不**讓**，是故哂之。」

也已矣：語氣助詞連用，相當於「罷了」。　**讓：**謙讓，謙遜。

⑭

子路、冉有、公西華都出去了，曾皙最後走。曾皙問孔子：「他們三個人的話怎麼樣？」

⑮

孔子說：「也就是各人談談自己的志向罷了。」

⑯

（曾皙）說：「您為甚麼笑仲由呢？」

⑰

（孔子）說：「治國要用禮，（可是）他的話毫不謙讓，所以（我）笑他。」

日益精進

加冠禮

加冠禮源自周朝。在周朝，男子到了二十歲，他的父親會在宗廟裏為其舉行加冠的儀式，這相當於一種成年禮。行過加冠禮的男子可以結婚，可以參加氏族中的各種活動。在儀式之前，接受加冠的男子要沐浴，表達出一種對成長的期待、對禮儀的敬畏、對長輩的感激，以及對莊嚴時刻的尊重。

⑱ 「**唯**求則非邦**也與**？」

⑲ 「**安見**方六七十如五六十而非邦也者？」

⑳ 「唯赤則非邦也與？」

㉑ 「**宗廟會同，非諸侯而何？**赤也為之小

，孰能為之大

？」

唯：語氣助詞，用於句首，無實義。　**也與：**語氣助詞，表示疑問。　**安見：**怎見得。
宗廟會同，非諸侯而何：宗廟祭祀、朝見天子，不是諸侯國的事又是甚麼呢？意思是，公西華說的也是國家大事，不過他講得比較謙虛。

⑱

「難道冉有講的就不是國家嗎？」

⑲

「怎見得縱橫六七十里或者五六十里的地方就不是國家呢？」

⑳

「難道公西華講的就不是國家嗎？」

㉑

「宗廟祭祀、朝見天子，不是諸侯國的事又是甚麼呢？如果公西華只能做一個小司儀，那麼誰能做大司儀呢？」

日益精進

宗廟

古代帝王、諸侯或大夫、士祭祀祖先的場所。我國的宗廟制度是儒教祖先崇拜的產物，有嚴格的等級劃分：天子立七廟，諸侯立五廟，大夫立三廟，士立一廟，庶人無廟。

告訴我，你的夢想是甚麼？

普通話朗讀

大學之道

曾參

姓名　曾參

別稱　字子輿，世稱「曾子」，尊稱「宗聖」

出生地　魯國南武城（今山東省平邑縣）

生卒年　公元前 505 年—公元前 434 年

社會關係

與其父曾點（字子晳）同師孔子
孔子之孫子思為其弟子（孔子臨終託孤）

暢銷書作家

所撰《大學》初收錄於《禮記》，南宋朱熹將其抽出，與《中庸》《論語》《孟子》編在一起合稱「四書」，成為科舉考試欽定科目
編著《孝經》（儒家《十三經》之一）

三好學生

勤學老成，日有三省
孝悌忠恕，時刻自警
孔門心法，一肩荷承

生命指數

72 歲

請注意，此書必考

孔子的學生裏，有個人最愚鈍，卻寫出中國古代學子啟蒙第一書。他是曾子。

「四書五經」中，有一本最短小，五分鐘就能背完全篇，卻記錄了一個人綿長的一生。它是《大學》。

《大學》，古代讀書人的人生清單：格物、致知、誠意、正心、修身、齊家、治國、平天下，由平凡到卓越，鏈接了畢生求索的來路與出口。

年少時意氣風發，夢想改變世界，可當垂垂老矣才終於頓悟，最該做的是回歸修身，最值得欣慰的是終身成長。

曾子一生未做官，臨終時，他突然想起身下鋪的華美蓆子是大夫送的，忙招呼兒子們把它換下。有人說他至死都自律，但也許只有他自己知道，他不過是想讓生命走得更輕盈。

❶ 大學之道，在**明****明德**，在**親****民**，在**止於至善**。**知止而後有定**，定而後能**靜**，靜而後能**安**，安而後能**慮**，慮而後能**得**。物有本末，事有終始，知所先後，則近道矣。

明明德：彰明美德。前一個「明」是動詞，彰明。明德，美好的德行。

親民：親近愛撫民眾。一說「親」當作「新」，「新民」即使天下人去舊立新，去惡向善。

止於至善：達到道德修養的最高境界。　**知止而後有定：**知道要達到的「至善」境界，則志向堅定不移。　**靜：**心不妄動。　**安：**性情安和。　**慮：**思慮精詳。　**得：**處事合宜。

❶

大學的宗旨，在於彰明美好的德行，在於親近愛撫民眾，在於達到道德修養的最高境界。知道要達到的「至善」境界，則志向堅定不移；志向堅定不移，則心不妄動；心不妄動，則性情安和；性情安和，則思慮精詳；思慮精詳，則處事合宜。天地萬物皆有本有末，凡事都有開始和終結，明白了本末始終的順序，就接近（大學所講的）道理了。

日益精進

大學之道

「大學之道」是儒學經典《大學》開篇第一句，是做人的根本原則。「大學」在古代一般有兩種含義：一是「博學」；二是相對於小學而言的「大人之學」，也有「博學」的意思。「道」的本義是道路，引申為規律、原則等。

2 古之欲明明德於天下者，先治其國。欲治其國者，先齊其家。欲齊**其家者**，先修其身。欲修其身者，先正其心。欲正其心者，先誠其意。欲誠其意者，先**致其知**。致知在**格物**。

齊其家：使家族中的各種關係整齊有序。

致其知：獲得知識。一說，把自己對事物的認識推到極致。 **格物：**推究事物的原理。

②

古代那些想在天下彰明美好德行的人，先要治理好自己的國家。想治理好自己國家的人，先要使家族中的各種關係整齊有序。想使家族中各種關係整齊有序的人，先要修養自身的德行。想修養自身德行的人，先要端正自己的心思。想端正自己心思的人，先要使自己的心意真誠。想使自己的心意真誠的人，先要使自己獲得知識。獲得知識在於推究事物的原理。

日益精進

三綱八目

朱熹在他所著的《大學章句》中，把《大學》提出的「明明德」「親民」「止於至善」三者稱為「大學之綱領」，把「格物」「致知」「誠意」「正心」「修身」「齊家」「治國」「平天下」八項稱為「大學之條目」。後人稱之為「三綱領八條目」，簡稱「三綱八目」。

物格而後**知至**，知至而後意誠，意誠而後心正，心正而後身修，身修而後家齊，家齊而後國治，國治而後天下平。自天子以至於庶人，**壹**（yī）**是**皆以修身為本。

知至：對外物之理認識充分。　**壹是：**一概，一律。

明白了事物的原理後才能對外物之理認識充分，對外物之理認識充分之後心意才能真誠，心意真誠後心思才能端正，心思端正後才能修養德行，修養德行後才能管理好家庭，管理好家庭才能治理好國家，治理好國家後天下才能太平。上自天子，下至庶人，一概要以修養德行為根本。

日益精進

庶人

西周以後對農業生產者的稱謂。大部分庶人都住在城郊，耕種貴族分給的土地，享有一定的政治軍事權利，同時，必須服兵役、勞役和繳納軍賦等。秦漢以後泛指無官爵平民。

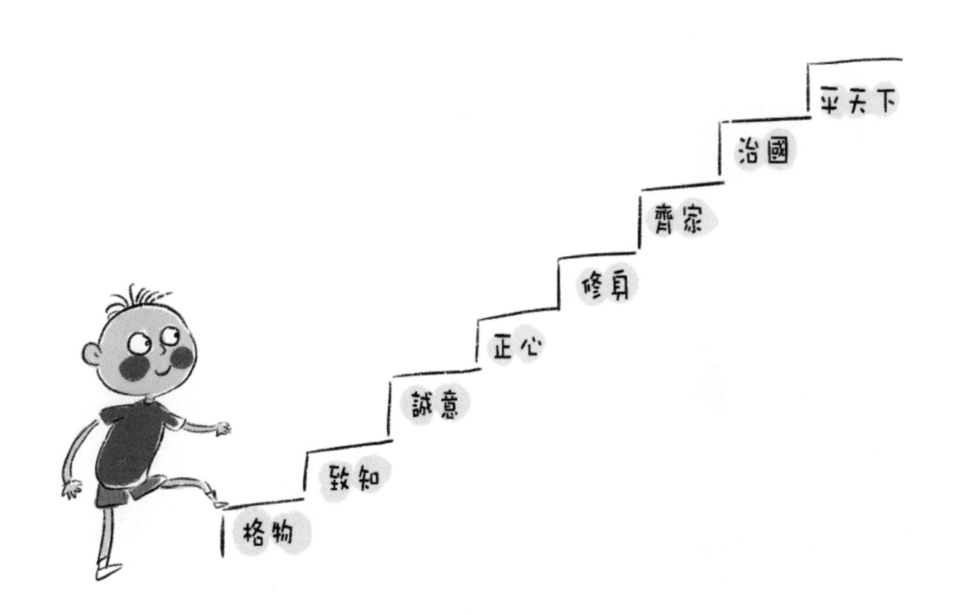

普通話朗讀

兼愛（上）

選自《墨子》

姓名　墨翟（dí）

別稱　墨子

出生地　宋國（有爭議）

生卒年　約公元前 468—約公元前 376 年

先秦和平獎獲得者

創立墨家學派，提出「兼愛」「非攻」，主張愛與和平

軍事鬼才

提出「非攻」「墨守」等防禦理論

科學怪人

研製木鳶（風箏的起源）、車，設計兵器，精通幾何、物理，被後世尊稱為「科聖」

生命指數

93 歲

peace & love，那個匆匆趕路的黑衣人

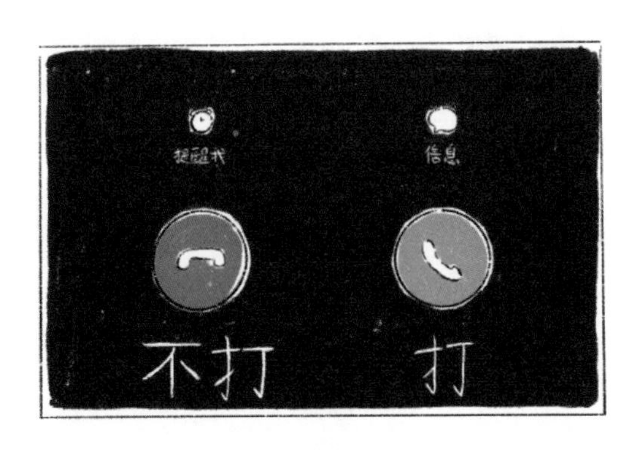

peace & love 是嘻哈文化的標誌之一。早在二千四百多年前的戰國時期，一個叫墨翟的窮小子也曾主張 peace & love。他出身貧寒，卻喜愛讀書和鑽研。

當墨翟得知楚國即將攻打宋國時，他穿上一襲黑衣，隻身前往楚國。他很窮，買不起馬，只能靠雙腳徒步前往，走了整整十天，即使草鞋破露，腳底磨出血疱，也不敢停。

墨翟用 peace & love 勸說楚王停止戰爭。他管這個叫「兼愛」「非攻」── 愛所有人，反對一切戰爭。

墨子的思想和言論，以及他創立的幾何學、物理學科學理論，被弟子們寫進了一本書裏，就是一直流傳至今的《墨子》。

2016 年，中國發射的世界首顆量子科學實驗衛星，被命名為「墨子號」，以紀念墨子在物理光學方面的成就。那個匆匆趕路的黑衣人，又上路了。

❶ 聖人**以治天下為事**者也，必知亂

之所自起，**焉** **於是** 能治之；不知

亂之所自起，則不能治。譬之如

醫之**攻**人之疾者然，必知疾之所自起，焉能攻之；不知疾之所自起，則弗能攻。治亂者何獨不然？必知亂之所自起，焉能治之；不知亂之所自起，則弗能治。

以治天下為事：把治理天下作為（自己的）事務。　**焉：**於是。　**攻：**治療。

❶

聖人是把治理天下作為（自己）事務的人，（他）必須知道混亂從哪裏產生，才能對它進行治理；不知道混亂從哪裏產生，就不能進行治理。（這就）像醫生給病人看病，必須知道疾病產生的根源，才能進行醫治；不知道疾病產生的根源，就不能醫治。治理禍亂又何嘗不是這樣呢？（聖人）必須知道混亂產生的根源，才能進行治理；不知道混亂產生的根源，就不能治理。

日益精進

「疾」與「病」

在文言中，「疾」與「病」都有生病之意，但「疾」常指一般的生病，「病」則常指病得很重。

2 聖人以治天下為事者也，不可不察亂之所自起。當(cháng)  察亂何自起？起不相愛  。臣子之不孝君父，所謂亂也。子自愛，不愛父，故**虧** 

父而自利；弟自愛，不愛兄，故虧兄而自利；臣自愛，不愛君，故虧君而自利。此所謂亂也。

當：同「嘗」，嘗試。　**虧**：使受損失。

②

聖人是把治理天下作為（自己）事務的人，不可不考察混亂產生的根源。（聖人要）嘗試考察：混亂從哪裏產生呢？起源於人與人不相愛。臣子不孝敬君父，就是所謂的亂。兒子愛自己而不愛父親，所以使父親受損失而自己獲益；弟弟愛自己而不愛兄長，所以使兄長受損失而自己獲益；臣下愛自己而不愛君上，所以使君上受損失而自己獲益。這就是所謂的混亂。

日益精進

「孝」與「悌」

孝，指對父母孝順；悌，指對兄長尊重。孔子非常重視孝悌，把孝悌作為實行「仁」的根本，提出「三年無改於父之道」「父母在，不遠遊」等一系列孝悌主張。孟子也把孝悌視為基本的道德規範。

雖 即使 父之不**慈**子，兄之不慈弟，君之不慈臣，此亦天下之所謂亂也。父自愛也，不愛子，故虧子而自利；兄自愛也，不愛弟，故虧弟而自利；君自愛也，不愛臣，故虧臣而自利。是何也？皆起不相愛。雖至天下之為**盜賊**者，亦然。

雖：即使。　**慈：**慈愛。　**盜賊：**偷竊和劫奪財物的人。

（反過來，）即使父親不愛兒子，兄長不愛弟弟，君上不愛臣下，這也是天下所謂的混亂。父親愛自己而不愛兒子，所以使兒子受損失而自己獲益；兄長愛自己而不愛弟弟，所以使弟弟受損失而自己獲益；君上愛自己而不愛臣下，所以使臣下受損失而自己獲益。這是為甚麼呢？都是起於不相愛。即使在天底下做賊和強盜的人，也是這樣。

日益精進

賊

古時「賊」是強盜之意，此外，還指作亂叛國的人，也引申為「禍亂」「禍害」。「賊」作為動詞時，意為「傷害」，「殺害」。

盜愛其**室**，不愛異室，故竊異室以利其室；賊愛其身，不愛人，故賊人以利其身。此何也？皆起不相愛。雖至大夫之**相亂家**、諸侯之相攻國者，亦然。大夫各愛其家，不愛異家，故亂異家以利其家；諸侯各愛其國，不愛異國，故攻異國以利其國。天下之**亂物**，**具此**

而已矣。

室：家。　**相亂：**相互擾亂。　**家：**卿大夫的封地。　**亂物：**紛亂之事。
具此：全都在這裏。具，完備、齊全。

賊人只愛自己的家，不愛別人的家，所以盜竊別人的家以使自己的家獲益；強盜只愛自身，不愛別人，所以殘害別人以使自己獲益。這是甚麼原因呢？都起於不相愛。即使卿大夫相互擾亂封地、諸侯相互攻伐封國，也是這樣。卿大夫各自愛自己的封地，不愛別人的封地，所以擾亂別人的封地來使自己的封地獲益；諸侯各自愛自己的國家，不愛別人的國家，所以攻伐別人的國家來使自己的國家獲益。天下的紛亂之事，全都在這裏了。

日益精進

卿大夫與諸侯是甚麼關係？

西周宗法制度森嚴，嚴格規定了貴族的等級，即「天子—諸侯—卿大夫—士」。西周、春秋時，卿大夫為國王及諸侯分封的臣屬，多與君主有親屬關係，封有世襲采邑。

3 察此何自起？皆起不相愛。若使天下兼相愛，愛人若愛其身，猶有不孝者乎？**視**父兄與君若其身，**惡**(wū)  **施**不孝？猶有不慈者乎？視弟子與臣若其身，惡施不慈？故不孝不慈**亡**(wú)。猶有盜賊乎？視人之室若其室，誰竊？視人身若其身，誰賊？故盜賊**有**(yòu)亡(wú)。

視：看待。　**惡施**：怎麼實行。惡，相當於「何」「怎麼」。　**亡**：同「無」。
有：同「又」。

3

細察這些（事情）是從哪裏產生的？都起於不相愛。假若天下的人都能相親相愛，愛別人就像愛自己，還能有不孝的嗎？看待父親、兄長和君上像看待自己一樣，怎麼會做出不孝的事情呢？還會有不慈愛的嗎？看待弟弟、兒子與臣下像看待自己一樣，怎麼會做出不慈的事情呢？所以不孝不慈都沒有了。還有賊和強盜嗎？看待別人的家像看待自己的家一樣，誰還會盜竊？看待別人就像看待自己一樣，誰還會害人？所以賊和強盜也沒有了。

日益精進

儒家「仁愛」與墨家「兼愛」的區別

儒家的「仁愛」是以家庭內部親人之間的「親」為基礎的愛，而墨子的「兼愛」卻是無等級差別的愛，是所有的人之間互相平等的愛。墨子認為，當時的整個社會之所以有這麼多問題，核心的原因就是人與人之間沒有兼愛，世人如果都兼愛了，就會互惠互利。

猶有大夫之相亂家、諸侯之相攻國者乎？視

人家若其家，誰亂？視人國若其國，誰攻？

yòu wú

故大夫之相亂家、諸侯之相攻國者有亡。若

使天下兼相愛，國與國不相攻，家與家不相

亂，盜賊無有，君臣父子皆能孝慈，

若此則天下**治**。

治：治理得好，太平。

還有卿大夫相互擾亂封地、諸侯相互攻伐嗎？看待別人的封地就像看待自己的封地，誰還會擾亂？看待別人的封國就像看待自己的封國一樣，誰還會攻伐？所以卿大夫相互擾亂封地、諸侯相互攻伐封國也沒有了。假若天下的人都相親相愛，國家與國家不互相攻伐，封地與封地不互相擾亂，賊和強盜都沒有了，君臣父子間都能孝敬慈愛，像這樣，天下也就治理得好了。

日益精進

《墨經》

墨家經典著作，也叫《墨辯》。早在約二千四百年前，《墨經》就包含了力學、光學、幾何學、工程技術等方面的知識，重點研究了槓桿、斜面、小孔成像，以及平面鏡、凹面鏡、凸面鏡成像等。

4 故聖人以治天下為事者，惡（wū）得不禁惡而**勸**愛？故天下兼相愛則治，**交相**惡則亂。故**子墨子**曰不可以不勸愛人者，此也。

勸：鼓勵。 **交相：**互相。 **子墨子：**墨子的弟子對墨子的尊稱。

4

所以聖人是把治理天下作為（自己）事業的人，怎麼能不禁止互相仇恨而鼓勵相愛呢？因此天下的人相親相愛就天下太平，相互憎惡則天下混亂。所以墨子説不能不鼓勵愛別人，道理就在此。

日益精進

非攻

春秋末年，各國相互攻伐兼併，墨子於是主張兼愛天下，放棄戰爭，以攻伐為不義且不利之事，故稱為「非攻」。「非攻」是墨學的重要範疇，是墨子軍事思想的集中體現。墨子和他的弟子們，從愛百姓的高度出發，極力反對攻伐之戰，維護人間的和平生活。為了實現目標，他們死不旋踵，赴火蹈刃，充分顯示出墨子及墨家弟子崇高的人格力量。

普通話朗讀

齊桓晉文之事

選自《孟子》

姓名　孟軻

別稱　字子輿，世稱「孟子」

出生地　鄒國（今山東省鄒城市）

生卒年　約公元前372年—公元前289年

「仁政」推廣大使

宣揚「仁政」，最早提出「民貴君輕」思想

孔子粉絲

儒家代表人物，對孔子極其尊崇
與孔子並稱「孔孟」，元朝時被追封為「亞聖」

超級辯手

善雄辯，超級演說家，脫口秀十級愛好者

生命指數

84歲

「杠精」上線，誰與爭鋒

孟子，戰國時代最佳辯手，懟天懟地懟君王，是真猛人。

鄒穆公賣慘：「我們被魯國打，百姓袖手旁觀，氣人！」孟子正面剛：「活該！」梁惠王傲慢：「老頭兒，你大老遠過來，給我帶來啥好處？」孟子回懟：「來，我先給你上堂思想品德課。」

這次，齊宣王要打仗，「孟杠精」再次上線：「你愛百姓，百姓才會愛你，仁政，它不香嗎？」

杠得瀟脱，杠成了一股清流；嘴硬，脊樑更硬。面對王權，孟子鐵骨錚錚，一身浩然之氣。正因如此，他才有「杠」的資本與勇氣。

❶ 齊宣王問曰：「齊桓、晉文之事可得聞乎？」

❷ 孟子對曰：「仲尼之徒無道桓文之事者，是以後世無傳焉，臣未之聞也。**無以**，則**王**（wàng）乎？」

無以：不得已。

王：動詞，行王道以統一天下。

❶

齊宣王問道：「齊桓公、晉文公（稱霸）的事，可以講給我聽聽嗎？」

❷

孟子回答說：「孔子的弟子沒有講齊桓公、晉文公的事情，因此後世沒有流傳，我也沒有聽說過。（如果）不能不說，要不（說說）行王道的事吧？」

日益精進

春秋五霸

春秋時期，周王室勢力衰微，一些強大的諸侯國為爭奪天下，開啟了激烈的爭霸戰爭，數位諸侯先後成為霸主。據《史記索隱》，春秋五霸為齊桓公、晉文公、秦穆公、宋襄公和楚莊王。

3 曰：「德何如則可以王矣？」

4 曰：「**保民**而王，莫之能禦也。」

5 曰：「若寡人者，可以保民乎哉？」

6 曰：「可。」

7 曰：「何由知吾可也？」

保民：安民，養民。

3

（齊宣王）說：「德行怎麼樣，才可以使天下歸服呢？」

4

（孟子）說：「使人民安定就可以使天下歸服，沒有人能阻擋。」

5

（齊宣王）說：「像我這樣的人，能夠使人民安定嗎？」

6

（孟子）說：「可以。」

7

（齊宣王）說：「怎麼知道我可以呢？」

日益精進

寡人

古代君主的自稱，即寡德之人（在道德方面做得不夠的人），在春秋戰國時期使用較多。古人認為，君主的權位由上天賦予，但上天只會把天下賜給有德行的人，君主一旦失德，就會失去權位，所以君主就謙稱自己是「寡人」以自勉。

8

曰：「臣聞之**胡齕**(hé)曰：王坐於堂上，有牽牛而過堂下者，王見之，曰：『牛**何之**？』對曰：『將以**釁**(xìn)**鐘**。』王曰：『捨之！吾不忍其**觳觫**(hú sù)  ，若無罪而**就**死地。』對曰：『然則廢釁鐘與 

？』曰：『何可廢也？**以羊易之**。』不識有**諸** 

？」

胡齕：齊宣王的近臣。　**何之：**到哪裏去？之，往。　**釁鐘：**古代新鐘鑄成，宰殺牲口，取血塗鐘行祭，叫做「釁鐘」。　**觳觫：**形容恐懼戰栗的樣子。　**就：**走向。
以羊易之：用羊來替換牠（指牛）。古人以牛為牲之最大者，羊的地位低於牛。
諸：「之乎」的合音。

8

（孟子）説：「我從胡齕那聽説，您坐在大殿上，有個人牽牛從殿下走過，您看見了，問道：『牽牛到哪裏去？』（那人）回答説：『準備用牠（的血）來祭鐘。』您説：『放了牠！我不忍看到牠那恐懼戰栗的樣子，牠沒有罪過卻走向死地。』（那人）問道：『既然如此，那麼需要廢除祭鐘的儀式嗎？』（您）説：『怎麼可以廢除呢？用羊來替換牠吧。』不知道有沒有這件事？」

日益精進

祭祀

祭祀是一種信仰活動，由人類早期對自然和祖先的崇拜催生而來。人們常通過祭祀來祈禱上天降福免災。祭祀通常需要獻出祭品，主要的祭品有食物、玉帛、血等。文中的「釁」就是血祭，指用牲畜的血塗在新製的器物上。

❾ 曰：「有之。」

❿ 曰：「是心足以王矣。百姓皆以王為**愛**

也，臣固知王之不忍也。」

愛：吝惜，捨不得。

❾

（齊宣王）說：「有這事。」

❿

（孟子）說：「這樣的心就足以使天下歸服了。百姓都認為大王吝嗇，我當然知道您是不忍心。」

日益精進

古代祭祀中的「犧牲」

在古代，供祭祀用的牲畜被稱為「犧牲」，色純的為「犧」，體全為「牲」。古代有「三牲」之說，指用於祭祀的牛、羊、豬，後來人們也稱雞、魚、豬為三牲。古代帝王祭祀社稷時，牛、羊、豬三牲全備為「太牢」。祭祀時只有羊、豬而沒有牛則為「少牢」。根據祭祀者和祭祀對象的不同，所用犧牲的規格也有所區別，天子祭祀社稷用太牢，諸侯、卿大夫祭祀用少牢。

biǎn

⑪ 王曰：「然，誠有百姓者。齊國雖**褊小**，吾何愛一牛？即不忍其觳觫，若無罪而就死地，故以羊易之也。」

⑫ 曰：「王無**異**於百姓之以

wū

王為愛也。以小易大，彼**惡**知之？王若**隱**

其無罪而就死地，則牛羊何**擇**焉？」

褊小：狹小。　**異：**對……感到奇怪。　**惡：**疑問代詞，怎麼、哪裏。
隱：痛惜，哀憐。　**擇：**區別。

⑪

（齊宣王）說：「是的，的確有這種（對我有誤解的）百姓。齊國雖然狹小，我怎麼至於吝惜一頭牛？（我）就是因為不忍看牠那恐懼戰栗的樣子，沒有罪過卻要走向死地，因此用羊去換牠。」

⑫

（孟子）說：「您不要對百姓認為您吝嗇而感到奇怪。以小（的動物）換下大（的動物），他們怎麼知道您的用心呢？您如果痛惜牠沒有罪過卻要走向死地，那麼牛和羊又有甚麼區別呢？」

日益精進

觳觫

原來形容牛的恐懼狀，後來用來借指牛，「觳觫車」則為牛車。

⓭ 王笑曰：「是誠何心哉？我非愛其財而易之以羊也，宜乎百姓之謂我愛也。」

⓮ 曰：「無傷也，是乃仁術也，見牛未見羊也。君子之於禽獸也，見其生，不忍見其死；聞其聲，不忍食其肉。是以君子遠 páo 庖厨  也。」

庖厨：廚房。

⑬

齊宣王笑着説：「這究竟是一種甚麼心理呢？我（的確）不是（因為）吝惜錢財才用羊換掉牛的，（這麼看來）老百姓説我吝嗇是理所應當的了。」

⑭

（孟子）説：「沒有關係，這就是仁愛，因為您看到了牛而沒看到羊。有道德的人對於飛禽走獸，看見牠活着，便不忍心看牠死；聽到牠（哀鳴）的聲音，便不忍心吃牠的肉。因此君子不接近廚房。」

日益精進

古代廚房

在古代，除了「庖厨」，廚房還有不少稱呼，如「中厨」「內廚房」「東厨」「爨（cuàn）室」等。

⑮ 王說(yuè)，曰：「《詩》云：『他人有心，予忖度(cǔn duó)之。』夫子之謂也。夫我乃行之，反而求之，不得吾心。夫子言之，於我心有戚戚(qī qī)焉。此心之所以合於王者，何也？」

說：同「悅」，高興。 **忖度**：揣測。 **戚戚**：內心有所觸動的樣子。 **王**：王道。

⑮

齊宣王很高興，說：「《詩經》說：『別人有甚麼心思，我能揣測到。』這話說的就是先生您這樣的人啊。我這樣做了，回頭再去想它，卻想不出是為甚麼。先生您說的這些，對於我的心真是有所觸動啊！這種心思符合王道的原因，是甚麼呢？」

日益精進

《詩經》

《詩經》是中國最早的一部詩歌總集，收集了西周至春秋時期的 311 首詩歌（其中有 6 首只有標題，沒有內容），反映了當時的勞動、愛情、戰爭、徭役、壓迫、反抗、風俗等，還包含天象、地貌、動植物知識，是周朝社會的一面鏡子。

⑯ 曰：「有**復**  於王者曰：『吾力足以舉百鈞，而不足以舉一羽；**明**  足以察**秋毫之末**  ，而不見**輿薪**（yú xīn）  。』則王**許**  之乎？」

⑰ 曰：「否。」

復：稟報。 **鈞：**古代重量單位，三十斤為一鈞。 **明：**視力。
秋毫之末：鳥獸秋天所生的細毛的尖端。 **輿薪：**整車的柴火。 **許：**認可。

⑯

（孟子）說：「（假如）有人向您報告說：『我的力氣足以舉起三千斤，卻不能夠舉起一根羽毛；我的眼力足以看清鳥獸秋天所生細毛的尖端，卻看不到整車的柴火。』那麼，您認可這話嗎？」

⑰

（齊宣王）說：「不。」

日益精進

中國古代重量單位

中國古代常見的重量單位有銖、兩、斤、鈞、石，統稱「五權」。二十四銖為一兩，十六兩為一斤，三十斤為一鈞，四鈞為一石。

⑱ 「今恩足以及禽獸，而**功**不至於百姓者，**獨**何與？然則一羽之不舉，為不用力焉；輿薪之不見，為不用明焉；百姓之不見保，為不用恩焉。故王之不王(wàng)，不為也，非不能也。」

⑲ 曰：「不為者與不能者之**形**何以異？」

功：功效。 **獨**：偏偏、卻。 **形**：表現。

⑱

「如今您的恩德足以推及禽獸，功效達卻不到百姓身上，(究竟是) 為甚麼呢？這樣看來，舉不起一根羽毛，是不用力氣的緣故；看不見整車的柴火，是不用眼力的緣故；老百姓沒有受到安撫，是不肯布施恩德的緣故。所以，大王您沒有以王道統一天下，是不肯做，而不是不能做。」

⑲

（齊宣王）問：「不肯做與做不到在表現上有怎樣的區別？」

日益精進

明察秋毫，不見輿薪

意思是目光敏銳，可以看清鳥獸的毫毛，卻看不到整車柴草。比喻只看到小節，看不到大處。

⑳ 曰：「**挾(xié)太山以超北海，語(yù)**人曰：『我不能。』是誠不能也。**為長(zhǎng)者折枝**，語人曰：『我不能。』是不為也，非不能也。故王之不王，非挾太山以超北海之類也；王之不王，是折枝之類也。**老吾老****，以及人之老****；幼吾幼****，以及人之幼**：天下可運於掌。

挾太山以超北海：挾着泰山躍過北海。　**語：**動詞，告訴。

為長者折枝：為長者按摩肢體。枝，同「肢」，肢體。一說「折枝」指彎腰行禮。另一說「折枝」即折取樹枝。均喻指常人較易辦到的事情。

老吾老，以及人之老；幼吾幼，以及人之幼：敬愛自家的老人，從而推廣到（敬愛）別人家的老人；愛護自家的小孩，從而推廣到（愛護）別人家的小孩。老，敬愛，後兩個「老」指老人。幼，愛護，後兩個「幼」指小孩。及，推及。

20

（孟子）説：「挾着泰山去跳過北海，告訴別人說：『我做不到。』這確實是做不到。為長者按摩肢體，告訴別人說：『我做不到。』這是不肯做，而不是做不到啊。所以說大王您沒有以王道統一天下，不屬於挾泰山去跳過北海這一類的事；大王您沒有以王道統一天下，屬於為長者按摩肢體一類的事。敬愛自家的老人，進而推廣到尊敬別人家的老人；愛護自家的孩子，進而推廣到愛護別人家的孩子：（照這樣去做，）天下就在您的掌握之中了（可以在手掌上轉動）。

日益精進

折枝

比喻輕而易舉。同時，「折枝」還是花卉畫的一種表現形式。古人畫花時，有時只畫從樹幹上折下來的部分花枝，故名。此外，「折枝」也指七言律詩中對仗的頷、頸二聯。

《詩》云：『**刑**   於**寡妻**，至於兄弟，以**御**於家邦。』言舉斯心加諸彼而已。故推恩足以保四海，不推恩無以保妻子。古之人所以大過人者，無他焉，善推其所為而已矣。今恩足以及禽獸，而功不至於百姓者，獨何與？**權**  ，然後知輕重；**度**(duó)，然後知長短。物皆然，心為甚。王請度之！」

刑：同「型」，典範、榜樣，這裏用作動詞，做榜樣。　**寡妻**：正妻，一說為賢妻。
御：治理。　**權**：稱量。　**度**：丈量。

《詩經》說：『給自己的妻子做榜樣，推廣到兄弟，進而治理好一家一國。』說的就是把這樣的心思施加到他人身上罷了。所以，推廣恩德足以安定天下，不推廣恩德連妻子兒女都安撫不了。古代聖人大大超過別人的原因，沒別的，只不過是善於推廣他們的美好行為。如今您的恩德足以推及禽獸，功效卻達不到百姓身上，這究竟是甚麼原因呢？稱了，才能知道輕重；量了，才能知道長短。任何事物都是如此，人心更是這樣。大王，請考慮一下吧！」

日益精進

鰥（guān）寡孤獨

泛指沒有或喪失勞動力而又無依無靠的人。鰥，指年老無妻或喪妻的男子。寡，指年老無夫或喪夫的女子。孤，指年幼喪父的孩子。獨，指年老無子女的人。

㉑ 「**抑**王興甲兵，危士臣，**構怨**於諸侯，然後快於心與？」

㉒ 王曰：「否，吾何快於是？將以求吾所大欲也。」

㉓ 曰：「王之所大欲，可得聞與？」

㉔ 王笑而不言。

抑：表示反問，相當於「難道」。

構怨：結怨。

㉑

「難道大王您要動用軍隊（發動戰爭），使將士陷於危險，與各諸侯國結怨，這樣心裏才痛快嗎？」

㉒

齊宣王說：「不是的，我怎麼會這樣做才痛快呢？（我）打算用這辦法求得我最想要的東西罷了。」

㉓

（孟子）說：「您最想要的東西，可以（說給我）聽聽嗎？」

㉔

齊宣王只是笑卻不說話。

日益精進

甲兵

鎧甲和兵器，有士卒、軍隊的意思，泛指武備、軍事。

25 曰：「為肥甘不足於口與？輕暖不足於體與？抑為采色不足視於目與？聲音不足聽於耳與？便嬖(pián bì)  不足使令於前與？王之諸臣皆足以供之，而王豈為是哉？」

26 曰：「否，吾不為是也。」

便嬖：君主左右受寵愛的人。

㉕

（孟子）說：「是因為美味的食物不夠吃嗎？輕軟暖和的衣服不夠穿嗎？還是因為絢麗的顏色不夠看呢？音樂不夠聽嗎？左右受寵愛的人不夠用嗎？（這些）您的大臣們都能充分地提供給您，難道您真是為了這些嗎？」

㉖

（齊宣王）說：「不是，我不是為了這些。」

日益精進

古代服裝

古人穿衣，上身叫「衣」，下身叫「裳」，但「裳」並不是褲子，而是裙。衣、裳連在一起的叫「深衣」；前衫叫「襟」（jīn），後衫叫「裾」（jū）；衣服破爛叫「襤褸」（lán lǚ），華麗的衣服叫「華裾」。

27 曰：「然則王之所大欲可知已：欲辟土地，**朝**(cháo)  秦楚，蒞(lì)中國而撫四夷也。以若所為，求若所欲，猶**緣木而求魚** 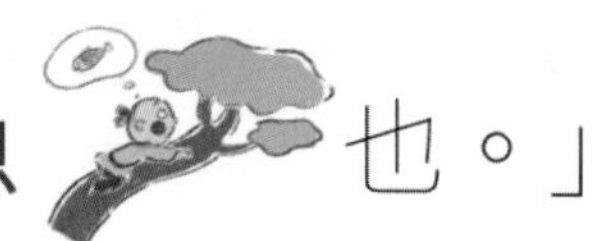 也。」

28 王曰：「若是其甚與？」

29 曰：「**殆**(dài)有甚焉。緣木求魚，雖不得魚，無後災；以若所為，求若所欲，盡心力而為之，後必有災。」

朝：使……來朝見。 **緣木而求魚：**爬上樹去找魚。比喻方向、方法不對，一定達不到目的。
殆：恐怕，可能。

27

（孟子）說：「那麼，大王所最想得到的東西便可知道了：想開拓疆土，使秦國、楚國來朝拜，統治中原地區，安撫四方的少數民族。（但是）用這樣的做法，謀求這樣的理想，就像爬到樹上找魚一樣。」

28

齊宣王說：「真的像（你說的）這麼嚴重嗎？」

29

（孟子）說：「恐怕比這還嚴重。爬到樹上去找魚，雖然找不到魚，卻沒有甚麼後禍；假使用這樣的做法，去謀求這樣的理想，又盡心盡力地去幹，之後必然有災禍。」

日益精進

四夷

古指華夏族以外的四方少數民族，分別指東夷、西戎（róng）、南蠻和北狄（dí）。

30 曰：「可得聞與？」

31 曰：「鄒人與楚人戰，則王以為**孰**勝？」

32 曰：「楚人勝。」

孰：誰。

㉚ （齊宣王）說：「（這裏面的道理）可以讓我聽聽嗎？」

㉛ （孟子）說：「如果鄒國和楚國打仗，您認為誰會勝？」

㉜ （齊宣王）說：「楚國會勝。」

日益精進

海內

古人認為中國四面環海，故稱國境以內為「海內」，也就是「天下」的意思。

33

曰：「然則小固不可以敵大，寡固不可以敵眾，弱固不可以敵強。海內之地，方千里者九，齊集有其一。以一服八，何以異於鄒敵楚哉？**蓋**(hé)亦反其本矣？今王發政施仁，使天下仕者皆欲立於王之朝，耕者皆欲耕於王之野，商賈(gǔ)皆欲藏於王之市，行旅皆欲出於王之塗，天下之欲疾其君者皆欲赴訴於王。其若是，孰能禦之？」

蓋：同「盍」，何不。　**塗**：同「途」，道路。

（孟子）說：「那麼，小國本來就不可以與大國為敵，人少的國家本來就不可以與人多的國家為敵，弱國本來就不可以與強國為敵。天下的土地，縱橫各一千里的地方有九塊，齊國的土地滙總起來也只有其中的一份。憑藉一份力量去降伏八份，這與鄒國和楚國打仗有甚麼不同呢？為甚麼不回到根本上來呢？您現在發佈政令，施行仁政，使得天下當官的人都想到您的朝廷來做官，種田的人都想到您的田野來耕作，做生意的人都想把貨物存放在您的市場上，出行的人都想在您的道路上經過，各國那些憎恨他們君主的人都想到您這裏來控訴。如果像這樣，誰還能抵擋您呢？」

日益精進

商賈

商賈是古代農耕時期對工商業者的稱呼。早在商朝時期，專門做買賣賺錢的羣體就已出現。周朝滅商後，政府允許商朝遺民繼續做買賣。漸漸地，人們便稱做生意的人為「商人」。

34 王曰：「吾**惛** ，不能進於是矣。願夫子輔吾志，明以教我。我雖不敏，請嘗試之。」

35 曰：「無恆產而有恆心者，惟士為能。若民，則無恆產，因無恆心。苟無恆心，放(fàng)**辟邪侈**(pì xié chǐ)，無不為已。及陷於罪，然後從而刑之，是**罔**(wǎng) 民也。焉有仁人在位，罔民而可為也？

惛：不明事理，糊塗。　**放辟邪侈：**不遵守禮義法度。放，放縱。辟，不正。侈，過度。
罔：同「網」，張網捕捉，比喻陷害。

34

齊宣王說：「我糊塗，不能做到這種地步。希望先生您幫助（我實現）我的志願，明白地指教我。我雖然不聰慧，但請（讓我）試一試。」

35

（孟子）說：「沒有長久可以維持生活的產業卻有長久不變的心，只有有道德操守的讀書人能做到。至於老百姓，如果沒有固定的產業，就會因此沒有長久不變的心。如果沒有長久不變的心，人就會不遵守禮義法度，無所不為。等到（他們）犯了罪，接着就處罰他們，這樣做是陷害百姓。哪有仁愛的君主掌權，卻做出這種陷害百姓的事來？

日益精進

士

春秋時，士多為卿大夫的家臣。春秋末年後，「士」逐漸成為統治階級中知識分子的通稱。

是故明君**制**民之產，必使仰足以事父母，俯足以**畜**xù妻子，**樂歲**終身飽，**凶年**免於死亡；然後**驅而之善**，故民之從之也**輕**。今也制民之產，仰不足以事父母，俯不足以畜妻子，樂歲終身苦，凶年不免於死亡。此惟救死而恐不**贍**shàn，奚暇治禮義哉？

制：規定。　**畜**：養活。　**樂歲**：豐年。　**凶年**：荒年。與「樂歲」相對。
驅而之善：驅使他們向善。　**輕**：容易。　**贍**：足。

所以英明的君主規定老百姓的產業，一定使他們上能贍養父母，下能養活妻子兒女，年景好時能豐衣足食，年景不好也不至於餓死；然後驅使他們向善，所以老百姓跟隨國君走就容易了。如今，規定人民的產業，他們上不能贍養父母，下不能養活妻子兒女，年景好時也總是生活在困苦中，年景壞時免不了要餓死。這樣，只是使自己擺脫死亡還怕不足，哪裏還顧得上講求禮義呢？

日益精進

妻子

古時「妻子」是妻子與兒女的合稱。漢代以後王公大臣之妻稱「夫人」，唐、宋、明、清各朝還對高官之妻加封，稱「誥（gào）命夫人」。

王欲行之，則盍(hé)反其本矣：五畝之宅，樹之以桑，五十者可以**衣**帛(yì bó)矣；雞、**豚**、狗、**彘**(zhì)之畜，無失其時，七十者可以食肉矣；百畝之田，勿**奪**其時，八口之家可以無飢矣；謹**庠序**(xiáng xù)之教，申之以**孝悌**(tì)之義，**頒白者**(bān)不負戴於道路矣。老者衣帛食肉，黎民不飢不寒，然而不王者，未之有也。」

衣：動詞，穿。　**豚：**小豬。　**彘：**大豬。　**奪：**喪失，耽誤。
庠序：古代的地方學校，後泛指學校。　**孝悌：**善事父母為「孝」，敬愛兄長為「悌」。
頒白者：頭髮花白的老人。頒，同「斑」。

您真想施行仁政，為甚麼不回到根本上來呢：五畝地的住宅，種上桑樹，五十歲的人就可以穿上絲織的衣服了；雞、小豬、狗、大豬這些家畜，不要錯過牠們生長繁殖的時節，七十歲的人就可以有肉吃了；一百畝的田地，不要耽誤了適宜種植、收穫莊稼的時節，八口人的家庭就可以不捱餓了；慎重興辦學校教育，用孝順父母、尊重兄長的道理告誡他們，頭髮花白的老人便不會在路上揹着或頂着東西了。老年人穿絲織衣服吃上肉，老百姓不捱餓受凍，這樣還不能使天下歸服，是從沒有過的事情。」

日益精進

庠序學校

夏、商、周三代，學校有國學和鄉學之分。國學稱為「學」。鄉學，在夏朝叫「校」，在商朝叫「序」，在周朝叫「庠」。

普通話朗讀

北冥有魚

選自《莊子・逍遙遊》

姓名　莊周

別稱　莊子

出生地　宋國蒙（今河南省商丘市）

生卒年　約公元前 369 年—公元前 286 年

政務能力

主張無為而治

文學造詣

《莊子》被道教奉為道家經典之一　先秦散文最高成就

思想造詣

道家學派代表人物　與老子並稱「老莊」

生命指數

84 歲

突破局限，大魚變大鳥

世人皆知莊子，知他自由恣意、浪漫至極。他生以破帽遮頭，以舊衣裹身，迎秋風，望殘陽，放高歌。他死以天地作棺槨（guǒ），以日月為連璧，以星辰為珠寶，以萬物作陪葬。

他的散文奇趣睿智，在文學史上獨樹一幟；他的思想玄遠高深，和老子的思想一起成為中國哲學的源頭。

他說，他是貧窮，不是潦倒。身穿粗布陋服，只是貧窮；士有道德而不能體現，才是潦倒。

他說，他是無為，不是退卻。近自然宇宙，遠人間是非，愛另一個生命之前，要好好活出自己。

他說，大魚可變大鳥，宇宙洪荒，不要困在自己的小世界中。

他說，生命不管大小，都有自己的局限，而突破局限，才是逍遙。

北**冥**有魚，其名為**鯤**(kūn)。鯤之大，不知其幾千里也；化而為鳥，其名為**鵬**。鵬之背，不知其幾千里也；**怒**而飛，其翼若**垂**天之雲。是鳥也，**海運**則將徙(xǐ)於南冥。南冥者，天池也。

冥：海。 **鯤：**傳說中的大魚。 **鵬：**傳說中的大鳥。 **怒：**奮起的樣子，這裏指鼓起翅膀。
垂：旁邊。 **海運：**海水運動，指海本身的翻動。舊說海運必起大風，鵬就乘此風轉徙南海。

北海裏有一條魚，牠的名字叫鯤。鯤非常巨大，不知道有幾千里。變化成鳥，牠的名字就叫鵬。鵬的脊背，也不知道有幾千里長。當牠振動翅膀奮起而飛的時候，翅膀就好像掛在天邊的雲彩。這只鳥，當海水翻動起大風的時候就要乘風遷徙到南海了。這個南海是一個天然的大池子。

日益精進

鯤鵬

鯤鵬之名，最早出現於道家經典《列子》中的《湯問》：「終北之北有溟海者，天池也。有魚焉，其廣數千里，其長稱焉，其名為鯤。有鳥焉，其名為鵬，翼若垂天之雲，其體稱焉。」《莊子・逍遙遊》繼承並發揚了列子神話，增加了鯤化鵬的說法。

《齊諧》者，**志**怪者也。《諧》之言曰：「鵬之徙於南冥也，水擊三千里，**摶**（tuán）**扶搖**而上者九萬里，去以六月**息**者也。」**野馬**也，塵埃也，生物之以息相吹也。天之蒼蒼，其**正色**邪？其遠而無所至極邪？其視下也，亦若是則已矣。

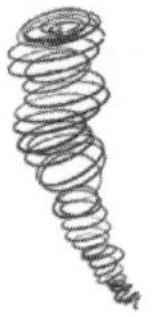

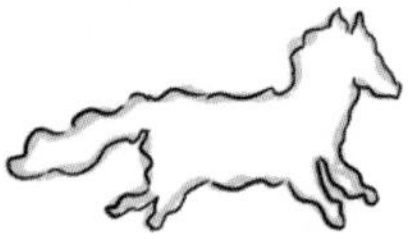

志：記載。　**摶：**迴旋，盤旋。　**扶搖：**迴旋而上的大風。　**息：**氣息，即風。
野馬：指浮動的霧氣。　**正色：**本色。

《齊諧》這本書，是記載一些怪異事情的書。書上説：「鵬飛往南海時，翅膀拍打水面激起三千里的浪濤，乘着旋風盤旋飛上了九萬里的高空，憑藉六月的風離開了北海。」像浮動的霧氣，飛舞的塵埃，都是活物用氣息互相吹拂的結果。天色蒼蒼，是它本來的顏色嗎？還是（因為）遠而看不到盡頭呢？鵬往下看，也像是這樣而已。

日益精進

《齊諧》

古代先秦神話集。出於齊國，多記載詼諧怪異之事，故名「齊諧」。

普通話朗讀

五石之瓠

莊子

姓名　莊周

別稱　莊子

出生地　宋國蒙（今河南省商丘市）

生卒年　約公元前 369—約公元前 286 年

著名編劇

邯鄲學步　東施效顰　朝三暮四　相濡以沫
莊周夢蝶　知魚之樂　五石之瓠（hù）

專情杠精

與好友惠子「互懟」一生，屢辯屢勝。惠子去世後，莊子説道：「我再也沒有可以辯論的對象了……」

大咖偶像

李白：萬古高風一子休，南華妙道幾時修。
蘇軾：吾昔有見，口未能言。今見是書（《莊子》），得吾心矣。

生命指數

84 歲

懟出來的真理：有用還是無用

世界上最大的葫蘆在哪裏？在莊子的筆下，在古代最佳辯友莊子和惠子的嘴裏。

莊子和惠子，兩人的觀念常常相左，卻是至交好友。惠子是魏國的宰相，因魏王送的葫蘆大而無用陷入困惑。

莊子說，有沒有用，有甚麼用，會因想法不同而得出不同的結論。對於葫蘆來說，它一定不是為了滿足人的需要才存在的，它天然擁有生存的權利。但也許更該思考的是，甚麼是「有用」，甚麼是「無用」？你願意放下「有用」，做一隻大而無用的葫蘆，隨着潮流湧動，在江海中自由漂流嗎？

惠子謂莊子曰：「魏王**貽**(yí)  我大**瓠**(hù)  之種，我**樹**之成而**實**(shí)**五石**。以盛水漿，其堅不能自舉也。剖之以為瓢，則**瓠落**  **無所容**。非不**呺**(xiāo)**然**  大也，吾為(wèi)其無用而**掊**(pǒu)  之。」

貽：贈送。　**瓠：**葫蘆。　**樹：**種植。　**實五石：**容得下五石的東西。

瓠落無所容：寬大而沒有甚麼可盛受的東西。瓠落，寬大空廓的樣子。

呺然：內中空虛而寬大的樣子。　**掊：**擊破。

惠子對莊子說：「魏王送給我一顆大葫蘆種子，我把它種植養大，(果實) 容得下五石的東西。用它盛水吧，它的堅固程度承受不了自己的容量。把它破開做成瓢吧，那麼寬大的瓢沒有甚麼可盛受的東西。這葫蘆並非不夠空不夠大，只是大得無法派上用場，所以我就把它打碎了。」

日益精進

石

在古代，「石」既可以作為重量單位，也可以作為容量單位。「石」作為重量單位時，一石為一百二十斤；作為容量單位時，一石為十斗。

莊子曰：「夫子固拙於用大矣。宋人有善為不龜(jūn)手之藥者，世世以洴澼絖(kuàng)

為事。客聞之，請買其方百金。聚族而謀之曰：『我世世為洴澼絖，不過數金。今一朝而鬻(yù)

技百金，請與之。』客得之，以說(yuè)

吳王。

龜：同「皸」，皮膚凍裂。　**洴澼絖：**漂洗絲絮。洴澼，漂洗。絖，同「纊」，絲綿絮。
鬻：賣。　**說：**同「悅」，取悅。

莊子説：「你真是不善於利用大的東西。宋國有一家人，擅長製造讓手不皸裂的藥，(於是利用它) 世世代代從事漂洗絲絮的工作。有個客人聽説後，要拿出百金買下這個藥方。(那家人) 便聚集起全家族的人商量説：『我們世世代代以漂洗絲絮為業，(所得) 也不過幾金。如今一旦把藥方賣出就可以獲得百金，就賣了吧。』客人得到藥方後，便拿去取悦吳王。

日益精進

文言中的「買賣」

文言文中常見的與「買賣」有關的字有「賈」(gǔ)、「沽」(gū)、「市」、「販」、「售」、「資」、「鬻」(yù) 等。「賈」，用作動詞有買、做買賣、謀取、招引等義，用作名詞指商人、價格等。「沽」，有買、賣之意，同時也特指賣酒的人。「市」，用作動詞有買、收買、交易等義，用作名詞則引申為集市、市場。「販」，除了指販賣，還特指賤買貴賣、賣貨的人。「售」「資」二字，皆有買、賣之意。「鬻」，就只有賣的意思。

越有**難**(nàn)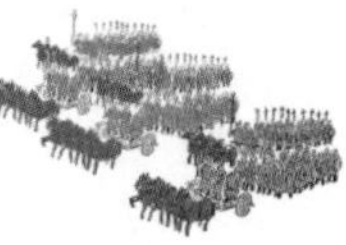，吳王使之**將**。冬，與越人水戰，大敗越人，**裂**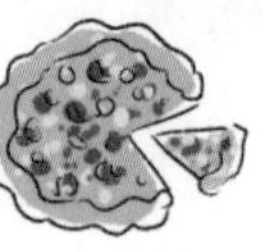地而封之。能不龜手**一**也，或以封，或不免於洴澼絖，則所用之異也。今子有五石之瓠，何不**慮**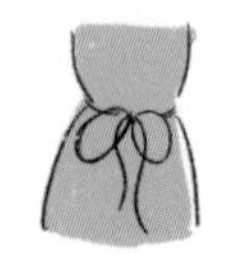以為大**樽**(zūn)而浮乎江湖，而憂其瓠落無所容？則夫子猶有**蓬之心**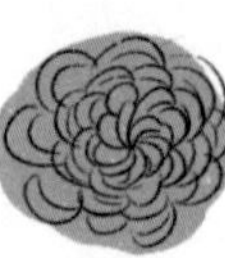也夫！」

難：發難，這裏指越國發兵侵吳。　**將：**統率部隊。　**裂：**劃分出。　**一：**同一，一樣的。
慮：用繩結綴。　**樽：**盛酒器。這是說大瓠像大樽，縛於身，可使人漂浮渡水。
蓬之心：比喻不通達的見識。蓬，草名，其狀彎曲不直。

這時越國發兵攻打吳國，吳王就派他領兵打仗。冬天，(吳軍) 與越軍水戰，大敗越軍，(吳王) 劃出一塊土地封賞他。同樣一個讓人手不皸裂的藥方，有人用它得到了封賞，有人用它只能從事漂洗絲絮的工作，這是因為用途不同。現在你有容得下五石東西的葫蘆，為甚麼不考慮把它繫在身上，去浮游於江湖之上，反而擔憂它太大而沒有甚麼可盛受的東西呢？可見你見識不通達啊！」

日益精進

水戰

中國古代水戰中，士兵主要是以弓、弩發射帶燃燒油脂的火箭，以及通過「火獸」「火禽」和「火船」等，對敵方進行攻擊。歷史上著名的水戰有東漢末期的赤壁之戰、晉滅吳之戰、前秦與東晉的淝水之戰等。

普通話朗讀

庖丁解牛

莊子

姓名　莊周

別稱　莊子

出生地　宋國蒙（今河南省商丘市）

生卒年　約公元前 369—約公元前 286 年

思想巨擘

道家學派代表人物
提出「天人合一」思想，與老子並稱「老莊」

文學大牛

《莊子》中《逍遙遊》《齊物論》《養生主》等名篇代表了先秦散文最高成就

養生顧問

提倡「順應自然」的養生之學

生命指數

84 歲

殺牛與養生，從「技」到「道」

中國文學史上，有一頭牛和一位庖丁，因莊子而聞名於世。

《庖丁解牛》出自《莊子・養生主》。庖丁為國君解牛。庖丁不是普通人，解牛解出了韻律；國君問為何技藝如此高超，庖丁答：「我不是在殺牛，是在練道。」從「技」到「道」的路遠之又遠，庖丁花了 19 年。庖丁説，一開始，你看見的是牛，技藝不夠，需要磨煉；而後，你目無全牛，可以隨心所欲，躊躇滿志。

庖丁成了所有人的老師，教君主從殺牛到養生；教我們心存敬畏，尊重練習，長期堅持 ，保持視野的高度，保持思想的鋭利，不懼風雨，不畏人言，面對自己的困難，手起刀落。

願每個人都能成為自己的庖丁。

❶ 庖(páo)丁為文惠君解牛，手之所觸，肩之所倚(yǐ)，足之所履，膝之所**踦(yǐ)**，**砉(xū)然向(xiǎng)然**，**奏刀騞(huō)然**

，莫不**中(zhòng)音**。**合於《桑林》之舞**，**乃中(zhòng)《經首》之會**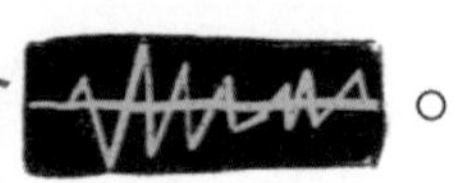。

❷ 文惠君曰：「嘻，善哉！技**蓋(hé)**至此乎？」

履：踩。 **踦：**抵住，指宰牛之時用膝蓋抵住牛。 **砉然向然：**砉砉作響。砉，皮肉筋骨分離的聲音。向，同「響」。 **奏刀騞然：**進刀時發出「騞」的聲音。奏，進。騞，插刀裂物的聲音。 **中音：**合乎音律。 **合於《桑林》之舞：**合乎《桑林》舞樂的節拍。《桑林》，傳說中商湯時的樂曲名。 **乃中《經首》之會：**又合乎《經首》樂曲的節奏。《經首》，傳說中堯時的樂曲名。乃，又。會，節奏。 **蓋：**同「盍」(hé)，何、怎麼。

❶

庖丁為梁惠王宰牛，手所接觸的地方，肩膀倚靠的地方，腳踩的地方，膝頂的地方，（牛體被肢解時）發出的「砉砉」的聲響，進刀發出的「騞」的聲音，無不符合音樂的節奏，既合乎《桑林》舞曲的節拍，又合乎《經首》樂章的韻律。

❷

梁惠王說：「啊，太好了！（你解牛的）技術怎麼會（高超）到這種程度啊？」

日益精進

庖丁

名為「丁」的廚師。一說即廚師，「丁」指從事專門勞動的人。

文惠君

即梁惠王，戰國時魏國國君。

3 庖丁釋刀對曰：「臣之所好者**道**也，**進乎技矣**。始臣之解牛之時，所見無非牛者；三年之後，未嘗見全牛也。方今之時，臣以神**遇**而不以目視，官知止而神欲行。依乎天理，**批大郤****導大窾**(kuǎn)，因其固然，**技**(zhī)**經肯綮**(qìng)**之未嘗**，而況大**軱**(gū)乎！

道：天道，自然的規律。　**進乎技矣：**超過技術了。進，超過。技，具體的操作技術。
遇：接觸。　**批大郤：**擊入大的（筋骨連接處的）縫隙。批，擊。郤，同「隙」，空隙。
導大窾：引刀進入（骨節之間的）空處。　**技經肯綮之未嘗：**脈絡相連和筋骨相結合的地方，不曾拿刀去嘗試。技，應是「枝」字，指支脈。經，指經脈。肯，附在骨上的肉。綮，筋骨結合處。技經肯綮之未嘗，即「未嘗技經肯綮」的賓語前置。　**軱：**大骨。

3

庖丁放下刀，回答說：「我所愛好的是自然規律，已經超過技術了。我剛開始從事宰牛時，眼前所見無非是一頭完整的牛；三年之後，就不再看得到整牛了。到了現在，我（再宰牛時）全憑心神去運作而不需用眼睛來觀察，感官的認知作用早已停止了，只是心神活動。依據牛體的天然紋理劈開大的（筋骨間的）空隙，把刀引入（骨節之間的）空處，順着牛體的自然結構（來操作），經絡交錯、筋骨盤結的地方都不曾拿刀去嘗試，何況對付大骨頭呢！

日益精進

切中肯綮

切中，正好擊中。肯綮，筋骨結合的地方，比喻事物的關鍵。「切中肯綮」形容庖丁技藝高超，後引申為解決問題的方法對，方向準。

gēng
良庖歲**更**刀，**割**也；**族**庖月更刀，**折**也。

今臣之刀十九年矣，所解數千牛矣，而刀刃

xíng jiàn
若**新發於硎**  。**彼節者有間**，而刀刃

jiàn
者**無厚**；以無厚入有間，**恢恢乎**其於

游刃必有餘地矣！是以十九年而刀刃若新發

於硎。

更：更換。 **割：**割肉。 **族：**眾，指一般的。 **折：**斷，指用刀砍斷骨頭。
新發於硎：剛從磨刀石上磨出來。硎，磨刀石。
彼節者有間：那牛骨節間有空隙。間，空隙。 **無厚：**沒有厚度。這裏形容刀口薄。
恢恢乎：寬綽的樣子。

好的厨師一年換一把刀，（他們是用刀）割肉；一般的厨師一個月換一把刀，（他們是用刀）砍骨頭。如今我的刀（用了）十九年了，所宰的牛有幾千頭了，但刀刃鋒利得就像剛從磨刀石上磨出來的一樣。那牛的骨節有間隙，而這刀刃薄得猶如沒有厚度；用沒有厚度的（刀刃）切入有空隙（的骨節），其中十分寬綽，那麼刀刃當然會游刃有餘啊！因此，這把刀用了十九年還是像新磨的一樣。

日益精進

古代某些職業從業人員的稱謂

古代對於一些以技藝為職業的人，稱呼時常在其名前面加一個表示他職業的字眼，讓人一看就知道這人的職業身份。例如「庖丁」，「丁」是名，「庖」是厨師。

雖然，每至於**族**，吾見其難為，**怵**(chù)**然**

為戒，**視為止，行為遲**，動刀甚微。**謋**(huò)然已解，如土**委**地。提刀而立，為之四顧，為之**躊躇**(chóuchú)**滿志**，**善**刀而藏之。」

4 文惠君曰：「善哉！吾聞庖丁之言，得**養生**焉。」

族：（筋骨）交錯聚結的地方。　**怵然：**戒懼的樣子。
視為止，行為遲：眼睛因為（筋骨交錯聚結的地方）而凝視不動，動作也因此慢下來。
謋：擬聲詞，迅速裂開的聲音。這裏形容骨與肉分開的聲音。　**委：**散落，卸落。
躊躇滿志：悠然自得，心滿意足。　**善：**這裏指揩拭。　**養生：**指養生之道。

儘管這樣，每當碰到（筋骨）交錯聚結的地方，我知道其中的難度，便小心警惕，眼神專注，動作緩慢，操刀輕微。謋的一聲，牛體已解，如同泥土散落一地。此時（我）提着刀站立起來，環顧四周，悠然自得，心滿意足，（然後）把刀揩拭乾淨，收藏起來。」

4 梁惠王說：「好啊！我聽了庖丁的這番話，懂得養生的道理了。」

日益精進

添丁　添口

古代社會，對於家中生男生女有不同的稱謂。生男孩叫「添丁」，生女孩被稱為「添口」。

普通話朗讀

五蠹（節選）

韓非子

姓名　韓非

別稱　韓子、韓非子

出生地　韓國新鄭（今河南省新鄭市）

生卒年　約公元前 280 年—公元前 233 年

大法官

法家思想之集大成者，提出「法治、術治、勢治」三者合一的封建君王統治術

社會關係

韓國公子　荀子高徒　李斯同窗
秦始皇是其「鐵粉」

文學大咖

著《韓非子》一書，共 55 篇，寓言故事一籮筐

生命指數

48 歲

聽他說

從前，有一個公子，出身尊貴，拜在荀子門下。

他說，重耕，強兵，有天下！

他說，事物總是處在變化中，沒有不變的東西。

他說，人口增長會導致財富不足、社會動亂。

他說，人的觀念與社會制度緊密相連。上古時期競於道德，只是人少，財富能滿足需求；今天相互爭奪，並非不講道德，而是人口多，財物不夠分配。

他說，不管是國家還是個體，要保持創新才能不斷發展。

他說，「法不阿貴」，人們應該憑「氣力」公平競爭。

他的主張不被韓王重視，秦始皇卻是他最大的粉絲。嬴政在他的思想指引下，統一六國，建立了中國歷史上第一個君主專制中央集權的統一王朝。

他是法家的集大成者，後世尊稱其為「韓非子」。

他的時代距今已兩千多年。

❶ 鄙諺曰：「長袖善舞，多錢善**賈**（gǔ）。」此言多資之易為工也。故治強易為謀，弱亂難為計。故用於秦者，十變而謀**希**

失；用於燕者，一變而計希得。非用於秦者必智，用於燕者必愚也，蓋治亂之資異也。故周去秦為從（zòng），**期**（jī）**年**而舉；衛離魏為衡，半歲而亡。

賈：做買賣。　**希：**同「稀」，稀少。這裏指計謀用於強秦，大體不會發生過失，因為「多資之易為工」，即內部強大。　**期年：**滿一年。

❶

民間諺語說：「長袖善舞，多錢善賈。」這就是說條件越充裕，事情越容易辦好。所以國家安定強盛，謀事就容易成功；國家貧弱混亂，計策就難以實現。所以為秦國出計謀，即使改變十次也很少失敗；為燕國出計謀，即使改變一次也很難成功。（這）並不是（因為）替秦國出計謀的人一定高明，被燕國任用的人一定愚昧，（而是）因為這兩個國家的治亂條件大不相同。所以周背離秦國參與合縱，只一年工夫就被秦攻陷了；衛背離魏國加入連橫，只半年的工夫就（被魏）滅亡了。

日益精進

古代謙稱

古代的謙稱用於自稱，表示謙遜的態度，有「鄙」「愚」「敝」「卑」「竊」「拙」「敢」等。「鄙」指自己或與自己有關的事物「鄙俗」「鄙陋」，常用以表示自己地位不高，見識淺薄。「愚」，謙稱自己不聰明，如謙稱自己的意見為「愚見」。「敝」謙稱自己或自己的事物不好，如「敝人」。「卑」謙稱自己身份低微。「竊」有私下、私自之意，使用它常有冒失、唐突的含義在內。「拙」用於對別人稱自己的東西，如「拙筆」是謙稱自己的文字或書畫，「拙著」「拙作」是謙稱自己的文章，「拙見」是謙稱自己的見解。「敢」表示冒昧地請求別人，如「敢問」「敢請」。

是周滅於從(zòng)，衞亡於衡也。使周、衞緩其從(zòng)衡之計，而嚴其境內之治，明其法禁，必其賞罰，盡其地力以多其積，致其民死以堅其城守，天下得其地則其利少，攻其國則其傷大；萬乘之國莫敢自**頓**於堅城之下，而使強敵裁其弊也，此必不亡之術也。捨必不亡之術而道必滅之事，治國者之過也。智困於內而政亂於外，則亡不可**振**也。

頓：困頓。　**振：**挽救。

所以說合縱滅了周，連橫亡了衛國。假使周和衛國不急於參與合縱連橫的計策，而是加強國內政治的治理，明確法律禁令，信守賞罰制度，充分開發土地而增加物質積累，使民眾竭盡全力去堅守城池，（那麼）天下各國即使奪取他們的土地，所得的好處也很少，進攻這個國家則會傷亡慘重；擁有萬乘兵車的大國不敢困頓在堅城之下，而讓強敵（自己去）衡量這樣做的利弊，這才是（保證國家）一定不會滅亡的辦法。放棄必然不會亡國的辦法而去做勢必會招致亡國的事情，（這是）治國者的過失。外交陷於困境，內政陷於混亂，那麼（國家的）滅亡就不可挽救了。

日益精進

城池

古時軍事防禦建築，指城牆和護城河，也泛指城市。殷商時代，先民用土築法築城牆，至春秋戰國，城牆更加堅實。唐朝安史之亂時，士兵會在城外一邊挖掘壕溝，一邊將壕土做成土坯。營壘哪裏被破壞，他們就馬上用土坯補上。

② 民之政計，皆就安利如**辟**(bì)危窮。今為之攻戰，進則死於敵，退則死於誅，則危矣。棄私家之事而必**汗馬之勞**，家困而**上弗**(fú)**論**，則窮矣。窮危之所在也，民安得勿避？故**事****私門**而**完解**(xiè)**舍**，解(xiè)舍完則遠戰，遠戰則安。

辟：同「避」，避開。　**汗馬之勞：**指戰爭的勞苦。　**上弗論：**君主不加過問。

事：侍奉。　**私門：**權貴之家。

完解舍：替貴族修繕房舍，以免服兵役。解舍，官署房屋。解，同「廨」，官府，官舍。

2

民眾通常的打算，都是追求安逸和私利而避開危險和窮苦。現在讓他們去打仗，前進會被敵人打死，後退又要受軍法處置，那（他們）就處於危險之中了。拋棄私人的家事而一定要去承受戰爭的勞苦，家裏有困難而君主不予過問，那（他們）就很困苦了。困苦與危險交加，民眾怎能不逃避呢？所以（他們就）侍奉權貴之家而替貴族修繕房屋，替貴族修好房屋就能避開戰爭，避開戰爭也就可以保證安全了。

日益精進

郡縣徵兵制

郡縣徵兵制是戰國時期普遍實行的兵役制度，徵集的對象主要是農民。在這種兵役制度下，郡守和縣令有權徵集本地的適齡男子入伍，並可率領他們出征。當時男子服兵役的年齡一般為 15 歲到 60 歲，但實際上，由於戰爭規模空前擴大和殘酷，各國往往會把不到年齡的人強徵入伍。

行貨賂(lù) 

而襲  當塗者  則**求得**，求得則私安，私安則利之所在，安得勿就？是以**公民**少而**私人**眾矣。

貨賂：用寶貨進行賄賂。　**襲：**因襲，追隨，這裏指私底下走門路，聯絡。
當塗者：當權者。塗，同「途」。　**求得：**要求得到滿足。　**公民：**指為國出力的人。
私人：指依附私門的人。

用財物進行賄賂而投靠當權者，就可以滿足個人要求，要求一旦滿足，就能使自身得到安全，自身得到安全，利益就明顯地擺在那裏，（民眾）怎能不去追求呢？這樣一來，為國家出力的人就少了，而依附私門的人就多了。

日益精進

汗馬

因奔走而出汗的戰馬，比喻勞苦征戰立下功勞，今天則泛指工作中作出重大貢獻。另外，「汗馬」也被作為「汗血寶馬」的簡稱。

3 夫明王治國之政，使其商工遊食  之民少而名卑，**以寡趣（qū）本務而趨末作**。今世**近習**之請行，則官爵可買；官爵可買，則商工不卑也矣。姦財貨賈  得用於市，則商人不少矣。聚斂倍農  而致尊過耕戰之士，則耿介之士  寡而商賈之民  多矣。

以寡趣本務而趨末作：因為百姓很少願意從事農耕而多樂意追求那些商工遊食之事。趣，同「趨」。　**近習：**君主左右的親信。

3

明君治理國家的政策，(總是) 使工商業者和遊手好閒的人儘量減少，而且使他們名位卑下，因為百姓很少願意從事農耕而多樂意追求那些商工遊食之事。現在社會上 (向) 君主左右的親信行賄託情的風氣很流行，這樣官職爵位就可以買到；官職爵位可以買到，那麼工商業者的地位就不會低賤了。投機取巧、非法獲利的活動可以在市場上通行，那麼商人就不會少了。(奸商) 搜刮所得成倍地超過農民的收入，他們獲得的尊貴地位也遠遠超過從事耕戰的人，那麼剛正不阿的人就會越來越少，而經營工商業的人就會越來越多。

日益精進

重農抑商

農業是中國古時社會的經濟基礎，土地給人們賴以生存的資料，古人普遍過着自給自足的農耕生活，農業直接關係到國家的興衰存亡。統治者認為，發展工商業會加劇勞動力從土地上流失，因此要「重農抑商」。

4 是故亂國之俗：其學者，則稱先王之道以**籍**（jiè）仁義，盛容服而飾辯說，以**疑**當世之法，而貳人主之心。其**言談者**，**為**（wěi）設詐稱，借於外力，以成其私，而遺社稷之利。其帶劍者，聚徒屬，立節操，以顯其名而犯**五官**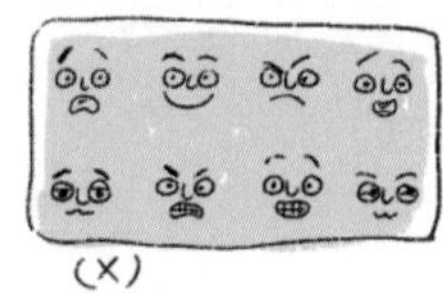

之禁。

籍：同「藉」，憑藉。　**疑**：擾亂。　**言談者**：指縱橫家，好口辯言談之人。
為：同「偽」。　**五官**：古代指司徒、司空、司馬、司士、司寇五種官職。

4

所以擾亂國家的風氣（是）：那些著書立說的儒生稱頌先王之道，憑藉仁義（進行說教），講究儀容服飾而修飾言辭，用以擾亂當代的法令，從而動搖君主依法治國的決心。那些縱橫家，捏造事實，編造謊言，藉助外國的力量，謀求他們的私利，把國家的利益拋在一邊。那些遊俠刺客，聚集黨徒，標榜氣節，為顯身揚名而觸犯國家禁令。

日益精進

縱橫家

諸子百家之一，戰國時期以從事政治外交活動為主的一派，是一個獨特的謀士羣體，可稱為中國五千年中最特殊的外交政治家。

其**患御者**，積於私門，盡貨賂，而用**重人**之**謁**(yè)退汗馬之勞。其。商工之民，修治**苦窳**(gǔ yǔ)**之器**，聚**弗**(fèi)靡(mí)之財，蓄積待時，而**侔**(móu)農夫之利。此五者，邦之**蠹**(dù)也。人主不除此五蠹之民，不養耿介之士，則海內雖有破亡之國，削滅之朝，亦勿怪矣。

患御者：害怕或逃避戰爭的人。　**重人：**有權勢的人。　**謁：**請託。
苦窳之器：指粗劣、不堅實的器物。　**弗：**同「費」。　**侔：**同「牟」，牟取。
蠹：木中蛀蟲。五蠹，這裏指當時社會上的五種人，即學者、言談者、帶劍者、患御者和商工之民。

那些害怕服兵役的人，聚集在貴族門下，肆意賄賂，依仗權貴的請託，逃避從軍作戰的勞苦。那些工商業者，製造粗劣的器物，積累奢侈的財物，囤積起來待機出售，從農民身上牟取暴利。上述這五種人，都是國家的蛀蟲。君主如果不去掉這五種像蛀蟲一樣的人，不廣羅剛正不阿的人，那麼天下即使出現破亡的國家、地削國滅的朝廷，也就不足為怪了。

日益精進

法家

諸子百家之一，成熟於戰國時期，提倡法治，主張富國強兵，被列為「九流」之一。法家不是純粹的理論家，而是積極入世的行動派，着眼於法律的實際效用。

普通話朗讀

過秦論

賈誼

姓名　賈誼

別稱　賈生、賈太傅、賈長沙

出生地　洛陽（今河南省洛陽市）

生卒年　公元前 200 年—前 168 年

政務能力

割地定制　禮治天下　重農抑商　以農為本

文學造詣

騷體賦代表　奠定了漢代騷體賦的基礎
政論散文為後世散文發展留下寶貴遺產
代表作《過秦論》《論積貯疏》《弔屈原賦》

生命指數

33 歲

一千個人心中的一千個賈誼

一千個人心中有一千個賈誼，或歎他懷才不遇，或道他志大量小，褒貶不一，眾說紛紜，但一定沒人否認《過秦論》的文學之美，它就猶如不朽豐碑，佇立於漢朝歷史的天空。

當年，正是漢朝盛世，可賈誼卻以他敏銳的洞察力，透過表象看到了西漢王朝潛伏的危機。為使西漢長治久安，賈誼在《過秦論》中向漢室提出了不少改革時弊的政治主張，看似「過秦」，實為「昭漢」。這篇歷史上著名的政論佳作，以千鈞筆力針砭時弊，行文多用駢偶，讀起來鏗鏘有力，且句式變化多端，不顯得單調。它既有辭賦的文采輝耀，更具論文的精闢見解。全文呈現出一片汪洋恣肆、銳不可當的浩瀚。

讀完《過秦論》，你心中的賈誼又是甚麼樣的呢？

❶ 秦孝公據崤（xiáo）函之固，擁雍州之地，君臣固守以窺周室，有席捲天下，包舉**宇內**，囊括**四海**之意，併吞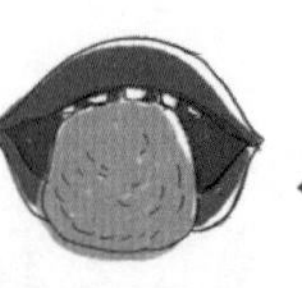**八荒**之心。當是時也，商君佐之，內立法度，務耕織，修守戰之具，外**連衡**而鬥諸侯。於是秦人**拱手**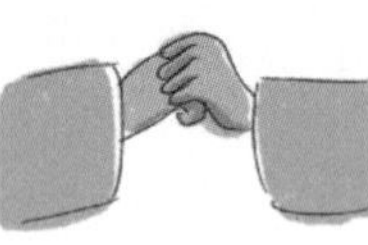而取西河之外。

宇內、四海、八荒：都是天下的意思。八荒，原指八方最遠的地方。

連衡：也寫作「連橫」，處於西方的秦國與東方齊、楚等國分別聯合以打擊其他國家，叫連橫。　**拱手：**形容毫不費力。

❶ 秦孝公佔據着崤山和函谷關的險固地勢，擁有雍州的土地，君臣堅守着來窺探周王室（的動靜），（秦孝公）有席捲天下，征服列國，佔領四海，吞併八方的想法。正當這時，商鞅輔佐他，對內建立法規制度，從事耕作紡織，修造防守和進攻的器械；對外實行連衡策略，使諸侯自相爭鬥。因此，秦人輕而易舉地奪取了黄河以西的土地。

日益精進

商鞅

姬姓，名鞅，戰國時期政治家、改革家、思想家、軍事家，法家代表人物，衞國國君後代。商鞅輔佐秦孝公，積極實行變法，史稱「商鞅變法」。他改革了秦國户籍、軍功爵位、土地制度、行政區劃、税收、度量衡以及民風民俗，並制定了嚴酷的法律；重農抑商、獎勵耕戰；統率秦軍收復了河西之地。秦孝公逝世後，商鞅被公子虔指為謀反，戰敗死於彤地，屍身車裂，全家被殺。

2

孝公既沒(mò)，惠文、武、昭襄**蒙故業**，**因遺策**，南取漢中，西舉巴、蜀，東割**膏腴**(yú)之地，北收要害之郡。諸侯恐懼，會盟而謀弱秦，**不愛**珍器重寶肥饒之地，以致天下之士，**合從**締交，相與為一。當此之時，齊有孟嘗，趙有平原，楚有春申，魏有信陵。此四君者，皆明智而忠信，寬厚而愛人，尊賢而重士，約從離衡，兼韓、魏、燕、楚、齊、趙、宋、衞、中山之眾。

蒙故業，因遺策：繼承已有的基業，沿襲前代的策略。　**膏腴：**肥沃。　**不愛：**不吝惜。
合從：是六國聯合共同對付秦國的策略。從，南北方向，這個意義後來寫作「縱」。

2

秦孝公死後，惠文王、武王、昭襄王承繼先前的基業，沿襲前代的策略，向南奪取漢中，向西攻取巴、蜀，向東割取肥沃的土地，向北佔領非常重要的郡邑。諸侯恐慌害怕，集會結盟，商議削弱秦國。他們不吝惜奇珍貴重的器物和肥沃富饒的土地，用來招納天下的優秀人才，採用合縱的策略締結盟約，互相援助，成為一體。在這個時候，齊國有孟嘗君，趙國有平原君，楚國有春申君，魏國有信陵君。這四位封君，都見識英明有智謀，心地誠而講信義，待人寬宏厚道而體恤人民，尊重賢才而重用士人，以合縱之約擊破秦的連橫之策，聯合韓、魏、燕、楚、齊、趙、宋、衛、中山的軍隊。

日益精進

合縱連橫

是戰國中期產生的一種外交策略。戰國中期，諸侯都先後稱了王，發展成為「萬乘」的大國，不斷吞併周圍小國。較弱小的國家為了自身生存，就相互聯合抵抗強大的國家來侵。抵抗一經失敗，又紛紛轉向強國以圖自保，於是，「合眾弱以攻一強」的「合縱」策略，及「事一強以攻眾弱」的「連橫」策略就應時而提出了。

於是六國之士，有甯越、徐尚、蘇秦、杜赫之屬為之謀  ，齊明、周最、

zhěn　　shào

陳軫、召滑、樓緩、翟景、蘇厲、樂毅之徒**通其意**，吳起、孫臏、帶佗、倪良、王廖、田忌、廉頗、趙奢之倫制其兵  。嘗以十倍之地，百萬之眾，**叩關** 

而攻秦。

通其意：溝通他們的意見。　**叩關：**攻打函谷關。叩，攻擊。

在這時，六國的士人，有甯越、徐尚、蘇秦、杜赫等人為他們 (六國) 出謀劃策，齊明、周最、陳軫、召滑、樓緩、翟景、蘇厲、樂毅等人溝通他們 (六國) 的意見，吳起、孫臏、帶佗、倪良、王廖、田忌、廉頗、趙奢等人統率他們的軍隊。他們曾經用十倍於秦的土地，上百萬的軍隊，攻打函谷關，進攻秦國。

日益精進

函谷關

自古為兵家必爭之地，西據高原，東臨絕澗，南接秦嶺，北塞黃河，是中國歷史上建置最早的雄關要塞。戰國時，戰國七雄除秦以外的其餘六國曾聯合對抗秦國，但秦國在函谷關成功抵禦住六國聯軍的攻勢。此後兩千年間，地勢險要的函谷關常常成為軍事爭奪的對象，包括唐代安史之亂，甚至抗日戰爭等。

秦人開關延敵，九國之師，**逡巡**(qūn xún)而不敢進。秦無亡矢遺鏃(zú)之費，而天下諸侯已困矣。於是從散約敗，爭割地而賂秦。秦有餘力而**制其弊**，**追亡逐北**，伏尸百萬，流血漂櫓；因利乘便，宰割天下，分裂山河。強國請服，弱國入朝。延及孝文王、莊襄王，享國之日淺，國家無事。

逡巡：有所顧慮而徘徊不敢前進。　**制其弊：**控制並利用他們的弱點。
追亡逐北：追逐逃走的敗兵。北，潰敗（的軍隊）。

秦人打開函谷關口迎戰敵人，九國的軍隊有所顧慮，徘徊不敢入關。秦人沒有一兵一卒的耗費，天下的諸侯卻已窘迫不堪了。因此，各國的聯合解體了、締結的盟約廢除了，各諸侯國爭着割地去送給秦國。秦國保存了剩餘的力量，趁他們困乏而制服（他們），追趕逃走的敗兵，百萬敗兵橫尸道路，流淌的血液可以漂浮盾牌。秦國憑藉這有利的形勢，割取天下的土地，重新劃分山河的區域。強國主動表示臣服，弱國入秦朝拜。延續到孝文王、莊襄王，統治的時間不長，秦國並沒有危機發生。

日益精進

秦孝文王

嬴柱（公元前 301 年—前 250 年），嬴姓，秦氏，名柱，又名式。又稱安國君，是秦昭襄王的次子。秦孝文王在位三天，就去世了，是秦國歷史上在位時間最短的國君；他去世後，太子嬴子楚繼位。

秦莊襄王

秦莊襄王（公元前 281 年—前 247 年），又稱秦莊王，嬴姓，趙氏或秦氏，本名異人，後改名為楚（一作子楚），秦孝文王之子，秦始皇之父，戰國時期秦國國君。

3 及至始皇，奮六世之餘烈，**振長策**而御宇內，吞二周而亡諸侯，履至尊而制**六合**，執**敲撲**而鞭笞(chī)天下，威振四海。南取百越之地，以為桂林、象郡；百越之君，俛首係頸(xì jǐng)，委命下吏。乃使蒙恬(tián)北築長城而守藩籬，卻匈奴七百餘里；胡人不敢南下而牧馬，士不敢彎弓而報怨。

振長策：振，舉起。策，馬鞭子。　**六合：**天地四方。

敲撲：刑具，短的叫「敲」，長的叫「撲」。

3

到始皇的時候，發展六世遺留下來的功業，以武力來統治各國，將東周、西周和各諸侯國統統消滅，登上皇帝的寶座來統治天下，用酷刑來奴役天下的百姓，威風震懾四海。秦始皇向南攻取百越，把它劃為桂林郡和象郡，百越的君主低着頭，頸上捆着繩子服從投降，把命運交在秦的卑下的（司法）官吏的手上。秦始皇於是又命令蒙恬在北方修築長城，守衛邊境，使匈奴退卻七百多里；胡人不敢到南邊來放牧，胡兵不敢拉弓射箭來報仇。

日益精進

秦始皇

嬴姓，趙氏，名政，十三歲時即王位，平定嫪毐叛亂，除掉呂不韋，獨攬大政。先後滅六國，完成統一中國大業，建立中央集權的統一的多民族國家 —— 秦朝，自稱「始皇帝」。在任內，他頒佈實行三公九卿制，地方廢除分封制，代以郡縣制；書同文，車同軌，統一度量衡；修築萬里長城，修築靈渠。其晚年苛政虐民，扼殺民智。秦始皇奠定了中國兩千餘年政治制度的基本格局，被譽為「千古一帝」。

於是廢先王之道，焚百家之言，以愚**黔**(qián)**首**；**隳**(huī)名城，殺豪傑；收天下之兵，聚之咸陽，**銷鋒鏑**(dí)\ ，鑄以為金人十二，以弱天下之民。然後踐華為城，因河為池，據億丈之城，臨不測之淵，以為固。良將勁(jìng)弩守要害之處，信臣精卒陳利兵而**譙**(hē)**何**。天下已定，始皇之心，自以為關中之固，金城千里，子孫帝王萬世之業也。

黔首：秦朝對百姓的稱呼。黔，黑色。　**隳：**毀壞，崩毀。　**銷鋒鏑：**熔化兵器。鏑，箭頭。
譙何：緝查盤問。

秦始皇接着就廢除古代帝王的治世之道，焚燒諸子百家的著作，來使百姓變得愚蠢；毀壞高大的城牆，殺掉英雄豪傑；收繳天下的兵器，把它們集中在咸陽，熔化這些兵器，鑄成十二個銅人，以便削弱百姓的反抗力量。然後憑藉華山為城牆，依據黃河為城池，（上邊）依靠着高聳的華山，（下邊）面對着深不可測的黃河，用來作為國家堅固的防禦工事。精兵強將手執強弩，守衛着要害的地方，可靠的官員和精鋭的士卒，拿着鋒利的兵器，盤問過往行人。天下已經安定，始皇認為這關中的險固地勢、方圓千里的堅固城防，就是子子孫孫稱帝稱王直至萬代的基業了。

日益精進

焚書坑儒

秦始皇在公元前 213 年和公元前 212 年焚毀書籍、坑殺「犯禁者」四百六十餘人。秦始皇焚書並未焚燒醫學、農牧等實用技術書籍。焚書坑儒對中國文化的影響包括：加強了思想控制，有利於當時社會的穩定，有利於封建統治的鞏固，但也摧毀了許多文化典籍，毀滅了許多寶貴的先秦文化，鉗制了人民的思想，不利於創新和發展，對後世造成惡劣的影響。

4

始皇既沒，餘威震於**殊俗**。然陳涉**甕(wèng)牖(yǒu)繩(shū)樞**之子，甿(méng)隸之人，而遷徙之徒也；才能不及中人，非有仲尼、墨翟(dí)之賢，陶朱、猗(yī)頓之富；躡(niè)足行(háng)伍之間，而倔起**阡(qiān)陌(mò)** 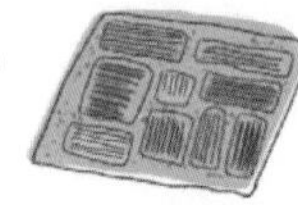 之中，率疲弊之卒，將數百之眾，轉而攻秦；斬木為兵，揭竿為旗 ，天下雲集響應，**贏(yíng)糧而景從** 。山東豪俊遂並起而亡秦族矣。

殊俗：不同的風俗，指邊遠的地方。

甕牖繩樞：以破甕做窗户，以草繩綁住户樞，形容家裏窮。牖，窗户。

阡陌：田間小道，這裏指田野。

贏糧而景從：擔着糧食如影隨形地跟着。贏，擔負。景，影子，這個意義後來寫作「影」。

4

始皇去世之後，他的餘威依然震懾着邊遠地區。可是，陳涉不過是個用破甕做窗户、用草繩綁住户樞的貧家子弟，是平民當中賤役一類的人，後來被徵發到邊地做了戍守士卒；(他們) 才能不如普通人，並沒有孔丘、墨翟那樣的賢德，也不像陶朱、猗頓那樣富有；他躋身於戍卒的隊伍中，從田野間崛起，率領着疲憊無力的士兵，指揮着幾百人的隊伍，掉轉頭來進攻秦國；(他們) 砍下樹木作武器，舉起竹竿當旗幟，天下豪傑像雲一樣聚集像回聲一樣應和，許多人都揹着糧食，如影隨形地跟着。崤山以東的英雄豪傑一齊起事，消滅了秦的家族。

日益精進

陳涉

陳勝，字涉，秦朝末年農民起義的領袖之一。秦二世元年 (公元前 209 年)，他聯合吳廣率領戍卒發動大澤鄉起義，成為反抗暴秦起義的先驅；後佔據陳郡稱王，建立政權。後來他被秦將章邯所敗，為車伕莊賈所害，葬於芒碭山。劉邦稱帝後，追封陳勝為「陳隱王」。陳勝發動了中國歷史上第一次大規模的農民起義，成為反秦義軍的先驅，是中國農民起義第一人。

5 且夫天下非小弱也，雍州之地，崤函之固，自若也。陳涉之位，非尊於齊、楚、燕、趙、韓、魏、宋、衞、中山之君也；鋤**櫌**(yōu)**棘矜**(jí qín)，非**銛**(xiān)於鉤戟(jǐ)長**鎩**(shā)也；**謫戍**(zhéshù)之眾，非抗於九國之師也；深謀遠慮，行軍用兵之道，非及向時之士也。然而成敗異變，功業相反，何也？

櫌：碎土平田用的農具，鋤把。　**棘矜：**戟和矛柄。棘，通「戟」。　**銛：**鋒利。　**鎩：**長矛。
謫戍：指強迫徵發戍邊。

況且那天下並沒有縮小削弱，雍州的地勢，崤山和函谷關的險固，仍保持原來的樣子。陳涉的地位，沒有比齊、楚、燕、趙、韓、魏、宋、衛、中山的國君更加尊貴；鋤頭木棍也不比鈎戟長矛更鋒利；那遷謫戍邊的士兵也不能和九國部隊抗衡；論深謀遠慮，行軍用兵的方法，也比不上先前九國的武將謀臣。可是成功和失敗發生了不同變化，功業完全相反，為甚麼呢？

日益精進

戟

讀作 jǐ，戟的基本字義是指我國獨有的古代兵器。實際上戟是戈和矛的合成體，它既有直刃又有橫刃，呈「十」字或「卜」字形，因此戟具有鈎、啄、刺、割等多種用途，其殺傷能力勝過戈和矛。

試使山東之國與陳涉**度長絜大**(duó xié) 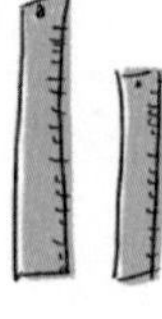 ，比權量力，則不可同年而語矣。然秦以區區之地，致萬乘(shèng)之勢，序八州而朝同列，百有(yòu)餘年矣；然後以六合為家，崤函為宮；一夫作難而**七廟隳**(huī)，身死人手，為天下笑者，何也？仁義不施而攻守之勢異也。

度長絜大：量量長短，比比大小。絜，比較。　**七廟隳：**宗廟毀滅，就是國家滅亡的意思。

假使拿東方諸侯國跟陳涉量一量長短比一比大小，比較一下權勢估計一下力量，就更不能相提並論了。然而秦憑藉着它的小小的地方，發展到兵車萬乘的國勢，管轄全國，使六國諸侯都來朝見，已經一百多年了；這之後（秦始皇更）把天下作為家業，用崤山、函谷關作為自己的內宮；（而）陳涉一人起事國家就滅亡了，秦王子嬰死在別人（項羽）手裏，被天下人恥笑，這是為甚麼呢？就因為不施行仁政，而使攻守的形勢發生了變化啊！

日益精進

項羽

秦朝末年起義軍領袖、傑出軍事家，楚國名將項燕之孫。他反抗秦朝，殺死秦王子嬰，自稱西楚霸王。漢王劉邦從漢中出兵，掀起歷時四年的楚漢之爭。項羽剛愎自用，猜疑亞父范增，終為劉邦所敗。公元前 202 年，項羽退守垓下，最後霸王別姬，自刎於烏江。項羽是中國軍事思想「兵形勢」（兵家四勢：兵形勢、兵權謀、兵陰陽、兵技巧）的代表人物，也是以個人武力出眾而聞名的武將。李晚芳評價項羽「羽之神勇，千古無二」。

普通話朗讀